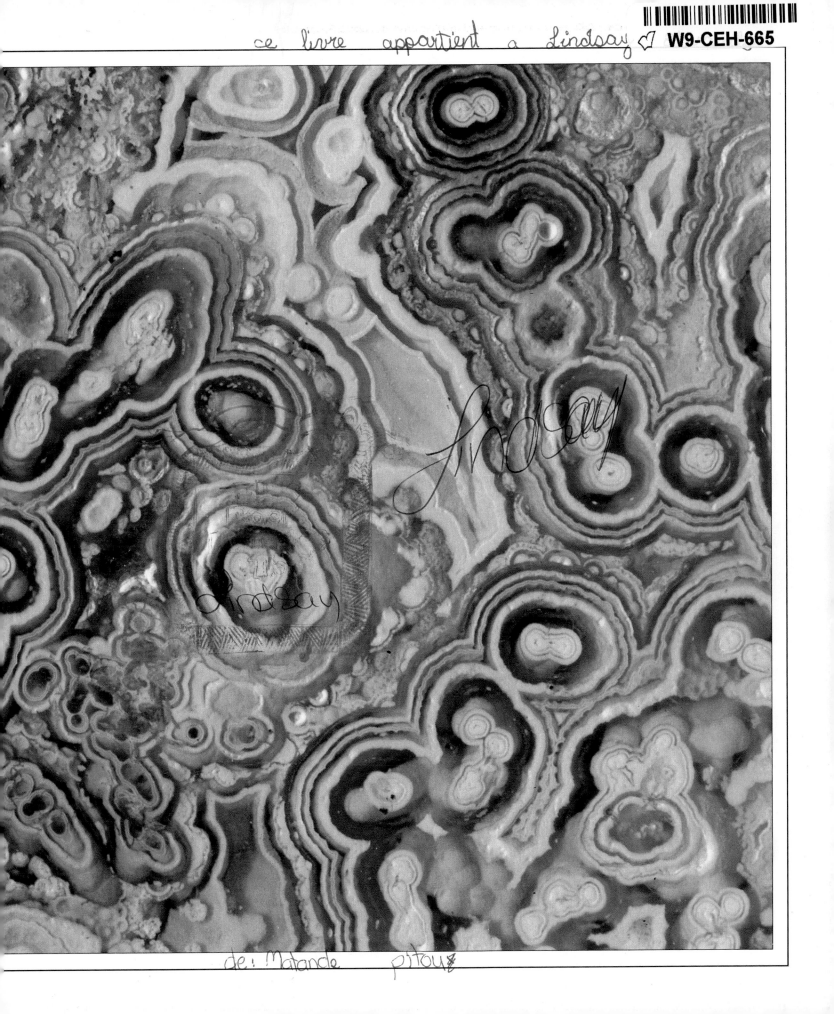

■ CONNAISSANCE DE LA NATURE ■

ROCHES ET MINERAUX

Les cristaux rouges et brillants de rhodochrosite se rencontrent
souvent associés à des minerais de plomb et de cuivre.

Voici celui qui déclencha la ruée
vers l'or de 1849, en enrichit
certains et provoqua la mort de
bien d'autres : l'or de Californie,
qui se rencontre rarement sous
forme aussi massive.

CONNAISSANCE DE LA NATURE

ROCHES ET MINERAUX

LEN CACUTT

Ces cristaux translucides de wulfénite, qui doit son nom à F.X. Wulfen, ressemblent souvent à des plateaux de table de plastique brillant en miniature. Ils sont parfois opaques.

intrinsèque

Copyright (c) 1992
Colour Library Books Ltd., Godalming, Surrey
pour l'édition originale
Copyright (c) 1992
Edimages S.A.
1806 Saint-Léger, Suisse
pour l'édition en langue française

ISBN
2-883 99 044 1
Copyright (c) 1992
Intinséque pour l'édition au Canada ISBN
2 920 373-30-7
Adaptation française : Jean-Marie Merle, Nicolas Blot
Imprimé et relié en Italie

L'AUTEUR

Len Cacutt a consacré la plus grande partie de sa vie à sa passion pour le monde de la nature sous tous ses aspects. Il a d'abord étudié les poissons et la pêche, mais il s'est également toujours intéressé aux origines de l'Univers et du système solaire, à nos connaissances sans cesse plus vastes sur ce sujet, ainsi qu'aux raisons qui ont fait que notre Terre est devenue ce qu'elle est. A cet intérêt passionné s'ajoute l'enchantement éprouvé devant la beauté et la palette des couleurs du monde minéral. Len Cacutt est membre permanent de la Freshwater Biological Association et sociétaire de la Zoological Society. Il est également, dans un tout autre domaine, l'auteur d'ouvrages sur l'histoire de l'aviation et sur l'histoire militaire.

SOMMAIRE

De quoi la Terre est-elle faite ?

l'absence d'atmosphère et l'exposition aux radiations solaires qui en résulte, la chaleur ou le froid extrêmes, et le bombardement de météorites, les ont affectées radicalement. Trois catégories de roches forment la structure de base de la planète : les roches ignées, les roches métamorphiques et les roches sédimentaires. Les roches ignées se sont formées et se forment toujours par consolidation du magma, ou de la lave en fusion,

Vue de l'espace, notre galaxie forme une spirale. Le système solaire se trouve au centre d'un des bras extérieurs.

Les couches calcaires, autrefois horizontales, de l'île du Sud, en Nouvelle-Zélande. Les plissements que l'on voit ici témoignent des pressions considérables qui se sont exercées.

Il fut un temps, aux origines de l'Univers, où le seul élément était l'élément gazeux. Il y a environ 4,6 milliards d'années, le système solaire - c'est-à-dire le Soleil, les neufs planètes qui gravitent autour de lui et leur nombreux satellites, ainsi qu'une multitude de corps célestes en orbite, de plus petite dimension - formait une boule composée de gaz, et par la suite un disque. Par condensation et par concentration sous l'effet de sa pesanteur, ce disque devint le système solaire que nous connaissons aujourd'hui, dont le Soleil à lui seul représente 99,8% de la masse totale. Lorsque les boules gazeuses des planètes se condensèrent en se refroidissant pour former des corps solides à l'extérieur, la chaleur provoquée par la compression des gaz fut retenue à l'intérieur. Le centre de la Terre, par exemple, d'une densité dix fois supérieure à celle de l'eau, reste à des températures très élevées, en partie à l'état liquide. On ne sait pas encore avec exactitude de quoi il se compose, mais il est probable qu'il contient du nickel. L'exploration du système solaire nous a permis de découvrir que les autres planètes sont faites des mêmes substances que la Terre, mais certains facteurs, tels que

La masse montagneuse la plus importante du monde, celle de l'Himalaya, est un massif de montagnes jeunes, aux contours bien découpés.

L'aiguille du Mont Cervin, trop jeune pour avoir encore beaucoup subi les attaques du temps et les effets de la pesanteur.

qui remontent du plus profond de la Terre et se cristallisent en se refroidissant, formant ainsi de nombreuses variétés de minéraux. Une fois les roches ignées attaquées par les facteurs d'érosion et broyées jusqu'à devenir du sable ou du limon, ceux-ci sont ensuite recouverts par des dépôts, des coulées de lave et les mouvements de l'écorce terrestre. Sous l'effet de la chaleur et de la compression, se forment alors des couches sédimentaires, comme les calcaires et les grès qui apparaissent au front des falaises et aux flancs des montagnes. Parfois, lorsque roches ignées et roches sédimentaires sont comprimées, chauffées et cuites sous la surface de la Terre, les minéraux qui les composent se transforment.

Comment se forment les roches ?

En étudiant les vibrations et le cheminement des ondes provoquées par les tremblements de terre et par les explosions que déclenche l'homme, tandis qu'elles s'enfoncent dans le sol à partir du siège de la détonation, puis reviennent à la surface, on peut se faire une idée de ce qui se trouve sous la surface de la Terre. La croûte terrestre solide, que l'on appelle lithosphère, a une épaisseur de 35 kilomètres sous la terre ferme, et de 7 kilomètres seulement sous le fond des océans. En dessous de cette croûte se trouve une épaisseur de 3 000 kilomètres environ de roches à très haute pression. Cette épaisseur, qui reçoit le nom de manteau terrestre, constitue le réservoir de magma qui alimente les volcans et s'échappe par les déchirures de la surface. Plus en profondeur se trouve un réservoir de magma siliceux. Plus à l'intérieur, au centre de la Terre, les pressions et les températures sont extrêmes. Celles-ci atteindraient 5000° C. Il ne

s'agit que d'hypothèses, car on n'a trouvé jusqu'à présent aucun moyen de le vérifier. Chacune des couches qui viennent d'être énumérées comprend elle-même plusieurs couches intermédiaires, ce qui fait de la Terre une planète très complexe.

Le matériau brut qui forme les roches se fraie un chemin vers la surface en raison du mouvement

Les roches colorées de l'Utah sont réputées pour leurs formes étranges. La plupart du temps, ce sont le vent et l'eau qui ont sculpté ces arcs.

Ces veines de coloration plus sombre sont de la lave basaltique, qui s'est frayé un passage dans le calcaire plus ancien au cours de la formation de la chaîne de Cuillin, sur l'île de Skye, au large de l'Ecosse.

Dans le Grand Canyon du Colorado, le calcaire accumulé pendant des millions d'années au fond d'une mer depuis longtemps disparue, s'appuie sur des colonnes de basalte créées par l'activité volcanique.

des plaques tectoniques sur lesquelles flottent les continents. Lorsque les points faibles de la lithosphère sont affectés par le mouvements des plaques qui glissent l'une sur l'autre, il se forme des conduits par lesquels se glisse le magma. La pression s'accumule alors, et finit par se produire l'explosion qui s'accompagne de la naissance d'un volcan.

L'activité volcanique des fonds de l'océan révèle le mécanisme de déplacement des plaques tectoniques. Les océans sont parcourus d'arêtes correspondant à de gigantesques failles par où s'échappent le magma en fusion et les gaz, qui repoussent les plaques de quelque 2,5 centimètres par an. Par ces failles sort donc le matériau dont naissent les roches, qui refroidit rapidement au contact de l'eau, et forme de la lave lisse et arrondie.

Les roches dont il est question ici sont des roches ignées, qui se forment toutes à des températures extrêmement élevées. Lorsque les minéraux qui les composent se solidifient en se refroidissant, chacun à une température différente, les roches acquièrent les caractéristiques qui les distinguent. On trouvera plus de détails sur ce

Naissance de roches ignées. A Hawaii, on voit ici l'éruption du mont Kilauea, volcan en sommeil réveillé par un tremblement de terre le 29 novembre 1975.

Les autres forces qui façonnent la Terre

Tandis qu'ils se précipitent du haut des montagnes, les petits cours d'eau sont grossis au passage par les eaux de la fonte des neiges et par les pluies, jusqu'à devenir de puissants torrents capables d'entraîner des cailloux de bonne taille. Ceux-ci s'arrondissent en s'entrechoquant, et obéissent ainsi d'autant plus facilement aux lois de la pesanteur. Les plus gros rochers résistent pour un temps aux courants les plus forts, mais ils sont eux aussi attaqués par les intempéries, pour finir par s'amenuiser et par faire partie du voyage. Les masses de glace, quant à elles, ont

Les montagnes s'usent sous l'action de la pluie, du gel et de la pesanteur. Ici, en Nouvelle-Zélande, la neige et la pluie, en gelant, se sont dilatées, faisant éclater la roche en fragments qui dévalent la pente et s'accumulent en énormes amas d'éboulis.

Lorsqu'on considère un rocher, la majesté d'un paysage montagneux ou bien un galet de silex, on en retire une impression de permanence. Cette impression tient au temps relativement bref d'une vie humaine au regard des processus naturels qui sont à l'oeuvre autour de nous. Alors même que le fond des océans et les failles de la croûte terrestre crachent de nouvelles roches, d'autres forces naturelles sont à l'oeuvre, qui finissent par transformer les plus puissantes chaînes de montagnes en grains de sable. Ces forces agissent très lentement, mais avec le temps, le gel, les pluies et les vents de sable viennent à bout du roc le plus dur, dont les fragments dévalent la pente et s'accumulent en éboulis au pied des montagnes. Sous l'effet des intempéries, ces fragments continuent de se désintégrer, puis ils se tassent et s'agglomèrent en une formation horizontale de sédiments.

La masse du glacier en mouvement emporte la terre et arrache les rochers sur son passage. Ceux-ci, que l'on appelle alors moraines, sont parfois déposés à de grandes distances de leur lieu d'origine. Lorsque le glacier a achevé son oeuvre, il laisse une belle vallée en forme de U (auge glaciaire).

d'extraordinaires dispositions pour façonner le visage de la Terre. Tassés et comprimés entre les parois d'une vallée, les vastes glaciers s'écoulent lentement et inexorablement, arrachant au passage les rochers qui dépassent. Retenus prisonniers des glaces, ceux-ci labourent le fond du lit rocheux. De nombreuses surfaces rocheuses portent des cicatrices témoignant du passage d'un glacier. Quant aux rochers entraînés par les glaciers, ils s'accumulent lorsque fondent les glaces, à de grandes distances parfois de leur point de départ : ce sont les blocs erratiques.

La surface de la Terre semble offrir un terrain stable à nos routes et à nos constructions... jusqu'au jour ou elle se met à trembler. Lorsque surviennent les vibrations du tremblement de terre, tout, dans la région frappée, s'écroule et semble sujet à liquéfaction. Lors d'un glissement de terrain, les sols entraînent tout ce qu'ils portent, et nous rappellent brutalement combien la Terre est fragile.

Le tremblement de terre survenu le 17 octobre 1989, à San Francisco, est une manifestation en surface des déformations subies par l'écorce terrestre. Les secousses ont été entraînées par le déplacement, l'une contre l'autre, des parois de la faille de San Andreas.

Les blocs de calcaire jonchent le lit d'une rivière qui dévale la pente d'une vallée glacière. La fonte des glaces de la période glacière, voici une dizaine de milliers d'années, provoqua des crues qui entraînèrent d'énormes rochers. Ces rochers se délitent sous l'action du gel et de l'érosion, et finissent par devenir sable, limon et vase.

Quelle est la nature des minéraux ?

Toutes les roches sont constituées de minéraux. Si la plupart des minéraux sont d'origine inorganique, le pétrole et le charbon, en revanche, contiennent des hydrocarbures et sont donc d'origine organique. Les roches les plus courantes, et celles qui sont décrites dans cet ouvrage, sont composées essentiellement de silice et d'oxygène. Certaines roches ne se composent que d'un minéral - le quartz pur, par exemple - mais un bon nombre de roches sont constituées de plusieurs minéraux.

Structures régulières, cristallines, d'éléments chimiques, les minéraux se forment de trois manières différentes: lorsque le magma se refroidit, les minéraux en fusion se cristallisent alors à des stades différents; lorsqu'un gaz se solidifie; lorsqu'une solution aqueuse contenant un minéral permet par évaporation la formation de cristaux. Tous les cristaux ont des structures moléculaires spécifiques, différentes d'un minéral à l'autre. De nombreux minéraux ont une composition chimique presque semblable mais, en raison d'agencements moléculaires différents, leurs cristau n'ont pas la même forme géométrique. La structure des cristaux joue un rôle important dans les propriétés des minéraux. Le graphite et le diamant, par exemple, sont tous deux composés de carbone, mais c'est précisément la différence de structure de leurs cristaux qui fait que le premier est tendre, tand que le second est la substance la plus dure que l'on connaisse. Les minéraux se répartissent en groupes selon leur composition chimique: les oxydes, comm le saphir et le rubis; les halogènes, comme le sel gemme et le spath fluor; les sulfures, comme la pyri et la marcassite; les sulfates, comme l'albâtre et le gypse; les carbonates, comme la calcite et la dolomite; les phosphates, comme la turquoise; et les silicates, au nombre desquels l'on compte le quartz ses différentes variétés, comme l'agate et l'opale, et de nombreuses pierres précieuses, dont l'émeraude, l'aigue-marine, la topaze, le grenat, et même l'asbeste et le mica.

La célèbre grotte de Fingal, sur l'île de Staffa (l'une des Hébrides), semble avoir été construite bloc par bloc. Ces colonnes de basalte (roche ignée), semblables à de grands cristaux, se sont formées quand la roche en fusion s'est refroidie.

Semblable à un faisceau de fibres d'or, ce sulfure de nickel, en général associé aux minerais de nickel, forme de longs fils fins et flexibles.

Ces fibres ont été trouvées dans une mine désaffectée de l'Etat de New York.

Les cristaux en forme de dents de la calcite (carbonate naturel de calcium), l'un des minéraux les plus courants.

La rhodochrosite se forme dans les gisements d'oxyde de manganèse, et se rencontre associée à des minerais d'argent, de plomb et de cuivre.

Les cristaux de graphite (carbone pur) que l'on voit ici ont été grossis 50 fois. Le diamant est aussi du carbone pur, mais il se forme à des pressions et à des températures très élevées, et la structure de ses cristaux est très différente.

Pour le géologue, le pétrole est un minéral. La présence de composés d'hydrocarbures confirme l'hypothèse selon laquelle le pétrole serait d'origine organique et résulterait de la transformation d'organismes végétaux et animaux par l'action de fermentations anaérobies.

Les roches ignées et le magma en fusion

Le fermier mexicain qui, en 1945, vit avec épouvante un volcan sortir du sol à ses pieds, les Islandais qui assistèrent à la naissance de l'île de Surtsey, surgie de la mer en 1963, ou encore les habitants de Pompéi, dont la splendide cité, vieille de cinq siècles, fut ensevelie en l'an 79 de notre ère par une éruption du Vésuve, eurent tous un aperçu, magnifique ou tragique, de l'activité volcanique. Les volcans, ces fontaines rugissantes qui crachent la fumée et vomissent la lave rouge en fusion, apparaissent aux points de jonction des plaques tectoniques, par où une petite quantité de magma (la matière en fusion qui se trouve sous la croûte terrestre) s'échappe à des températures pouvant atteindre 1200°C. Une fois que le magma s'est séparé des gaz brûlants qu'il contient, on l'appelle lave. Certains volcans restent en sommeil tandis que s'accumule lentement en eux une pression qui finit par provoquer la redoutable éruption détruisant toute vie sur le passage de la lave et des gaz mortels qui souvent l'accompagnent. Les roches en fusion, venues des entrailles de la Terre (de profondeurs pouvant aller de 100 à 250 kilomètres), se refroidissent lentement et se solidifient en formant les roches ignées. Il arrive que ces roches se solidifient avant d'atteindre la surface; elles émergent alors sous forme de pâte compacte. C'est le cas de cette roche noire que l'on appelle le basalte. Lorsqu'elles sortent sous forme liquide par la cheminée d'un volcan, la vitesse du refroidissement détermine la taille des cristaux qui se forment. Quand celui-ci est lent, les cristaux sont de grande taille et le grain de la roche est grossier. A l'inverse, un refroidissement rapide donne des cristaux plus petits et plus fins. Un refroidissement très rapide donne de l'obsidienne.

Lorsque les laves acides se refroidissent rapidement, en coulant, par exemple, directement dans la mer, elles se vitrifient et forment une roche noire et brillante que l'on appelle l'obsidienne. L'obsidienne vert foncé ressemble beaucoup à du verre. L'homme primitif découvrit qu'en respectant un angle déterminé, un choc permettait de fabriquer des outils d'obsidienne à bords tranchants.

La ville de Pompéi fut ensevelie en quelques heures sous les cendres du Vésuve.

Vue du forum de Pompéi. Dans le fond, le Vésuve. Pompéi et Herculanum (engloutie par les boues brûlantes) demeurèrent ensevelies pendant deux millénaires avant d'être découvertes.

Le mont Saint Helens, dans l'Etat de Washington, fit exploser son sommet le 22 juillet 1980. Le flanc de la montagne s'ouvrit et la lave se déversa, étouffant la campagne environnante.

Le Stromboli, au nord de la Sicile, crache des nuées d'éclats rocheux et vomit des torrents de laves basaltiques.

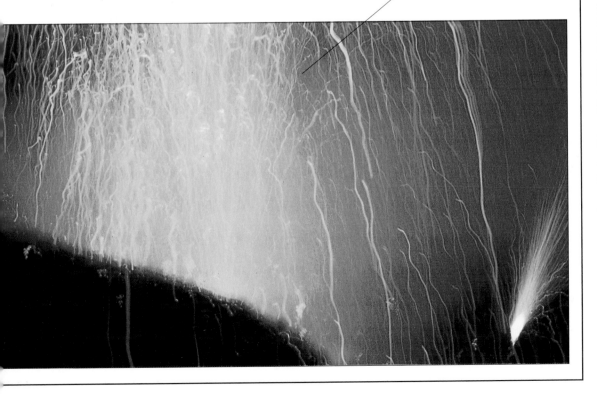

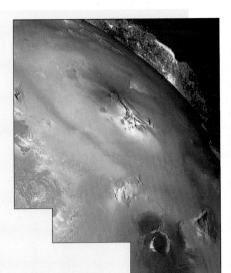

❑ Un aperçu de l'enfer (ci-dessus), sur Io, l'un des plus curieux satellites connus à ce jour. La considérable attraction qu'exerce l'énorme masse de Jupiter déforme le minuscule satellite, dont le diamètre est de 5,8 kilomètres, provoquant sur celui-ci une intense activité volcanique. Le plus grand de ses volcans, nommé Pelé, dépasse par sa taille les plus grands volcans de notre planète. Il crache à chaque seconde dix tonnes de soufre liquide et gazeux, qu'il projette à une hauteur de 280 kilomètres dans le vide spatial. La pesanteur finit par faire redescendre ces projections et Io, qui n'a pas d'atmosphère, est maintenant couverte d'une couche de cendres de soufre de 330 mètres d'épaisseur, qui donne à la surface du satellite l'allure d'une gigantesque quiche.

❑ Lorsque la lave projetée en l'air par un volcan contient une forte proportion de gaz, elle se refroidit rapidement et donne une roche légère et poreuse: la pierre ponce.

❑ Dans certaines variétés de basalte, les cristaux sont de si petite taille qu'on ne les aperçoit qu'au microscope. Leur petite dimension est due à un refroidissement rapide lors de leur formation.

Les roches sédimentaires, un gigantesque gâteau

Sous l'effet de l'érosion, les fragments rocheux se font de plus en plus petits, jusqu'au moment ultime où la majestueuse montagne, la falaise abrupte, n'est plus qu'une couche de sable ou de limon enfouie sous d'autres strates, comprimée, qui se solidifie en une formation de roches sédimentaires. Le processus complet prend si longtemps que la vie humaine paraît en regard bien peu de choses. Il faut par exemple environ mille ans pour que l'érosion vienne à bout d'une épaisseur d'un mètre de rocher, puis plusieurs millions d'années pour que les fragments rocheux donnent une formation sédimentaire. Le calcaire est la roche sédimentaire la plus répandue. Il est composé de calcite - carbonate naturel de calcium cristallisé - qui vient elle-même du calcium contenu dans l'eau de mer. C'est ce même calcium que les petits invertébrés extraient de l'eau pour former leur coquille et leur squelette. Lorsqu'ils meurent, ceux-ci tombent au fond de la mer, où ils se tassent pour former la craie, qui est une roche calcaire. La craie renferme également des rognons de silex - roche constituée de silice plus ou moins bien cristallisée - aux formes multiples qui jonchent les plages au pied des falaises de craie. Le calcaire cristallisé est une roche sédimentaire dont la structure a été modifiée sous l'effet de très hautes températures. On connaît bien les réseaux de grottes dans lesquels coulent parfois de très longues rivières souterraines. Il arrive fréquemment que ces grottes se soient formées lentement, par dissolution progressive du calcaire sous l'action de l'acide carbonique de l'eau de pluie, dans des cavités qui s'aggrandissent ainsi peu à peu. A mesure que l'eau s'infiltre, l'infime quantité de calcite que chaque goutte contient vient s'ajouter aux stalagmites montant du sol et aux stalactites tombant de la voûte. Certains calcaires massifs de l'ère carbonifère (vieilles de 280 à 345 millions d'années) forment des affleurements et des éperons rocheux spectaculaires.

Une rivière traverse le Grand Canyon depuis 20 millions d'années environ : le Colorado, dont le travail d'érosion a révélé la formation rocheuse des sols. Ici, la rivière s'est creusé un passage dans les roches sédimentaires, mettant au jour des alternances de couches sombres et de couches plus claires. Les roches du bas ont 1,45 milliard d'années.

La glace et les éléments ont commencé leur travail d'érosion, comme en témoignent les éboulis que traverse ce cours d'eau alimenté par la fonte des glaces.

L'acide carbonique contenu dans l'eau de pluie s'attaque aux points faibles du calcaire, creusant des cavernes sous le niveau du sol.

LE SAVIEZ-VOUS?

❑ Les épais gisements de calcaire contiennent souvent de vastes réseaux de grottes où coulent de nombreuses rivières souterraines. Les eaux de ruissellement véhiculent de minuscules particules de calcaire en suspension, qui, au bout de quelques siècles, voire de quelques millénaires, forment des dépôts spectaculaires, les stalactites et les stalagmites (voir également page 51). Le lac souterrain que l'on voit ci-dessus se trouve dans une grotte française.

❑ Si l'on regarde attentivement les bâtiments, les marches et les murs (d'autrefois) construits en pierres calcaires, on s'aperçoit que souvent, là où la roche contient des fossiles, l'eau de pluie a commencé son travail d'érosion, révélant les coquillages fossilisés. En identifiant et en datant ces fossiles, on peut avoir une idée assez précise de l'âge du calcaire qui les contient.

❑ Lorsque les roches sédimentaires ont été infiltrées par des composés du fer, celui-ci se trouve parfois si concentré qu'on peut parler de minerai de fer. Ces roches sont appelées roches ferrugineuses.

❑ La "craie" qui permet d'écrire sur les tableux noirs est en réalité du gypse (c'est-à-dire du sulfate de calcium).

21

L'argile, le schiste et le charbon

Il existe des roches au grain très fin dont les cristaux sont trop petits pour être visibles à l'oeil nu : tel est le cas du schiste argileux, du limon et de l'argile. Le schiste, dont le nom vient du grec *skhistos* qui signifie "que l'on peut fendre", présente une structure feuilletée. L'argile est plus plastique, qui se modèle à la main. D'un point de vue géologique, il s'agit toujours de roches. Le charbon, quant à lui, est d'origine végétale; il s'est formé à partir des gigantesques forêts du carbonifère (voici de 345 à 280 millions d'années). Ces forêts, comprimées sous des formations plus tardives, et parfois soumises à de très hautes températures au cours des bouleversements qui ont affecté la croûte terrestre, subirent les effets d'une carbonisation qui les transforma en cette roche noire et cassante, le charbon. Le charbon se trouve tantôt enfoui dans des mines profondes, tantôt en strates qui s'étendent sous le fond des mers. Parfois encore, les mouvements telluriques ont fait apparaître les filons à la surface du sol, facilitant ainsi l'extraction. Une preuve possible du déplacement des plaques tectoniques se trouve au pôle Nord, où l'on a découvert des filons carbonifères, restes carbonisés d'anciennes forêts qui, bien entendu, connurent des conditions climatiques très différentes de celles qui sévissent actuellement dans les régions arctiques.

Coiffant ces strates exposées aux éléments, le bouchon d'un volcan éteint depuis longtemps, dans l'Utah. Il y a des millions d'années, les mers recouvraient cette région, accumulant avec le temps les couches de dépôts, dont la bande, plus pâle, de limon que l'on voit au milieu.

L'argile s'est accumulée en strates sédimentaires, qui sont, comme on le voit, des couches superposées de sédiments. Les différentes colorations correspondent à la proportion d'oxyde de fer que contient chacune de ces couches.

LE SAVIEZ-VOUS?

❑ La couleur naturelle de l'argile est le bleu, mais lorsqu'il est exposé à l'air, le fer contenu dans l'argile s'oxyde et rouille : c'est précisément ce qui donne à l'argile la coloration brune que nous lui connaissons.

❑ Le gravier, le sable, le limon et l'argile se distinguent par la taille de leurs grains. Le gravier dépasse 2 mm, le sable se situe entre 2 mm et 0,6 mm, le limon entre 0,6 et 0,004 mm, et l'argile au-dessous de 0,004 mm.

❑ La quantité d'argile que contient notre Terre a été évaluée à dix milliards de milliards de tonnes.

❑ Lorsque la végétation meurt et qu'elle est enfouie, en règle générale elle se décompose. Mais lorsque le processus de décomposition est rendu impossible en raison de l'absence d'une certaine bactérie, il se forme de la tourbe. Les conditions idéales sont une abondante végétation dans une zone marécageuse. Dans les campagnes, on extrayait la tourbe que l'on laissait ensuite sécher pour s'en servir comme combustible. La tourbe brûle en dégageant une odeur caractéristique, qui n'est pas désagréable. Ci-dessous, des briques de tourbe mises à sécher.

La végétation enfouie voici des millions d'années donna naissance au charbon. Comprimée en masses considérables sous des dépôts plus tardifs, elle subit des transformations chimiques, puis elle fut carbonisée et forma d'abord de la lignite, pour devenir enfin du charbon, cette roche noire et dure que l'on connaît bien. Le charbon se rencontre dans de nombreuses régions du monde, parfois très en profondeur, mais les mouvements de l'écorce terrestre peuvent le ramener à la surface, comme ici, en Alaska, où l'on voit l'affleurement d'un filon.

Pressées et recuites, les roches métamorphiques

Métamorphique signifie "qui a changé de forme". Les roches que l'on appelle ainsi sont soit des roches sédimentaires, soit des roches ignées, soit déjà des roches métamorphiques, dont la structure a été modifiée sous l'action de pressions considérables exercées par les roches en fusion et les gaz aux points faibles des formations rocheuses, et sous l'action de la chaleur dégagée par l'activité volcanique. Il arrive que les modifications subies soient si importantes qu'il est difficile d'identifier les roches d'origine, car leurs cristaux ont complètement changé de structure et de nouveaux minéraux se sont formés. Dans les profondeurs de la Terre, il arrive que d'énormes masses rocheuses se heurtent et glissent les unes contre les autres, ce qui se traduit par des tremblements de terre à la surface. Ces mouvements s'accompagnent également d'un dégagement considérable de chaleur, qui modifie le contenu minéral des roches. Les couches horizontales de roches sédimentaires réagissent elles aussi, et il se produit, sous la poussée d'autres roches, de gigantesques plissements. Il arrive également, de nos jours encore, que des couches sédimentaires extrêmement épaisses soient fendues verticalement par le magma en fusion qui se fraye un passage aboutissant à la formation d'un volcan. Il arrive aussi que d'épaisses coulées de laves brûlantes se déversent sur des couches de grès ou d'autres roches sédimentaires, qu'elles modifient par leur chaleur et leur pression. Il existe donc deux types différents de métamorphisme, selon qu'une roche se trouve en contact direct avec la source de chaleur, ou qu'elle soit atteinte par la chaleur résultant de la friction qui accompagne les gigantesques mouvements telluriques. Le marbre est une roche métamorphique bien connue, qui se forme par modification des cristaux de calcite et de dolomite, sous l'effet de pressions considérables et de températures extrêmes.

Aphrodite pour les Grecs, Vénus pour les Romains, elle était la déesse de l'Amour et de la Fécondité. Cette statue, trouvée à Milo en 1820, peut aujourd'hui être admirée au Louvre. Elle est sculptée dans le marbre, roche métamorphique qui s'est formée à partir de calcaire exposé à des pressions et à des températures considérables.

Les roches ignées et sédimentaires se trouvent parfois exposées à de telles pressions et à de telles températures, qu'elles en sont affectées de façon spectaculaire. La structure cristalline de ce rocher a d'abord été modifiée, puis celui-ci a été arraché à la montagne et emporté par un glacier, pour enfin être déposé à la fonte des glaces.

A des pressions et à des températures extrêmes, roches et minéraux se recristallisent, et peuvent former, comme ici, du gneiss, roche métamorphique constituée de strates parallèles de quartz, de mica noir et de feldspath (trois composants du granit). Les plissements que l'on voit ici sont dus aux forces considérables qui se sont exercées sur ces couches, horizontales à l'origine.

L'ardoise se compose de plusieurs minéraux, et ses cristaux sont trop petits pour être visibles à l'oeil nu. Elle se forme par compression de couches de limon dont les particules se soudent entre elles.

LE SAVIEZ-VOUS ?

❏ Ayant la propriété de se fendre en fines feuilles bien plates, l'ardoise (ci-dessus) s'emploie pour les toitures depuis des siècles.

❏ Le gneiss est une roche métamorphique composée de feldspath, de quartz, de mica et d'autres éléments variables. Son nom vient d'un mot allemand qui signifie "étincelant". Selon que tel ou tel minéral est plus abondant, on a affaire à différentes variétés de gneiss.

❏ Lorsque le grès, sous les effets conjugués de la chaleur et de la pression, se cristallise et se durcit au point que les cristaux de quartz forment des agrégats, on appelle cette roche métamorphique la quartzite.

❏ Les schistes sont des argiles et des boues ayant subi un métamorphisme multiple, au point que leurs cristaux sont déformés. Les schistes contiennent des composantes minérales variées. Certains, par exemple, renferment des cristaux de mica; d'autres peuvent contenir des pierres semi-précieuses comme le grenat (voir page 76).

❏ Le marbre froid et lisse dans lequel on sculptait des chefs-d'oeuvre était du blanc le plus pur. La présence d'impuretés ajoute des raies, des bandes et des taches vertes, jaunes, rouges ou noires.

Les roches extraterrestres

On évalue à une centaine de tonnes la quantité de débris rocheux qui s'abat quotidiennement sur notre planète. Il s'agit la plupart du temps de poussières, dont l'entrée dans notre atmosphère se manifeste par une "étoile filante". Il arrive cependant, fort heureusement très rarement, que se rencontrent l'orbite terrestre et la trajectoire d'un corps céleste de plus grande dimension, et le résultat se fait alors plus lourdement sentir. La Terre est donc bombardée depuis les époques les plus reculées mais, à la diférence de la Lune, sur laquelle de nombreux cratères sont là pour en témoigner, le déplacement incessant des continents terrestres, l'érosion des montagnes et l'aplanissement des reliefs font disparaître toute trace de ce bombardement. Des quelques rares météorites qui touchent intactes notre sol, la plus connue est sans doute celle qui atterrit en Arizona voici six mille ans, et qui pèse 250 000 tonnes. Le cratère formé par sa chute a encore 1280 mètres de diamètre et 180 mètres de profondeur, et l'on trouve encore de nos jours des éclats de ce météorite, contenant du fer et du nickel, sur une étendue de plus de 80 kilomètres carrés. Lorsque les scientifiques entreprirent d'étudier les météorites, ils découvrirent, à leur grande surprise, que celles-ci ne contenaient pas de substances inconnues et mystérieuses, mais tout simplement des éléments qui se trouvent sur notre Terre. Les météorites se composent soit de métaux, soit, le plus souvent, de pierre, soit de métaux et de pierres associés. Celle d'Arizona était métallique, mais elles sont pour la plupart composés de silicates. Le mélange pierre-métaux est intéressant et curieux, car on y trouve des composés du carbone et plusieurs acides aminés, qui sont précisément des éléments de base de la vie sur Terre. Il s'est immédiatement trouvé des personnes pour faire l'hypothèse que la vie venait de l'espace, apportée sur Terre par un météorite.

Les roches de la Lune sont ignées ou métamorphiques; il n'y a pas trace de roches sédimentaires. Ce que l'on a longtemps pris pour des mers sont en fait d'immenses champs de laves qui se sont formés lorsque des particules radioactives contenues dans le sous-sol lunaire firent fondre les roches, provoquant leur éruption à la surface.

On a trouvé plus de 6 000 météorites dans l'Antarctique.

Le météorite Gibéon, composé de ferronickel, et qui pesait 300 kilogrammes lorsqu'il toucha le sol. Sa surface porte des traces de la chaleur provoquée par son passage dans l'atmosphère. La plus grande météorite de ferronickel que l'on connaisse est le monstre de 60 tonnes qui s'abattit sur la Namibie en 1920.

Météorite rocheuse et métallique, dont la gangue de fer est semée de cristaux d'olivine. Son poids est de 9 kilogrammes.

En cet endroit de l'Arizona, une météorite s'est abattue il y a 6 000 ans. L'énergie dégagée en a désintégré la plus grande partie, et l'on n'en a retrouvé qu'une centaine de tonnes de globules de fer.

LE SAVIEZ-VOUS ?

❏ Les météorites les plus anciennes remontent à la formation du système solaire, voici 4600 millions d'années.

❏ Aux temps bibliques, on croyait que les météorites venaient des Cieux, et le peuple hébreu les appelait <Beth-el>, ce qui signifie "maison de Dieu".

❏ Un cratère de 48 kilomètres de diamètre fut formé par la chute d'une météorite il y a 400 millions d'années sur le solsuédois, mais le travail de l'érosion a fait disparaîtrepresque toute trace de son existence.

❏ On estime qu'environ 16 000 tonnes de roches provenant de l'espace, le plus souvent sous forme de poussières ou de fragments minuscules, viennent chaque année ajouter leur poids à celui de la Terre.

❏ On voit ci-dessous une de ces masses pierreuses composées essentiellement de silice vitreuse dont on a longtemps cru qu'il s'agissait de projections de roches fondues provenant de la Lune lorsque celle-ci était heurtée par des météorites. On pense maintenant que ces cailloux en forme de sphères, de disques ou de poires se sont formés à partir de roches terrestres vaporisées sous le choc de météorites, dans des temps reculés pouvant aller jusqu'à 35 millions d'années.

Les bombes rocheuses

Plus on s'enfonce dans les profondeurs de la Terre, plus la température augmente. On est en droit de se demander pour quelle raison il en est ainsi. Comme on l'a vu, une bonne partie de la chaleur est contenue dans le magma qui cherche en permanence à se frayer un passage vers la surface, mais les roches radioactives produisent, elles aussi, de la chaleur. La radioactivité est un phénomène naturel complexe que l'on ne comprend et que l'on n'étudie que depuis un siècle environ. Ce terme signifie que certaines substances irradient spontanément de l'énergie, sous forme de rayons ou de particules. La radioactivité est la propriété que possèdent certains éléments de se transformer en un autre élément, qui devient stable, par désintégration due à la modification du noyau de leurs atomes. L'uranium et le thorium sont les éléments radioactifs les plus répandus, et leur désintégration, qui prend extrêmement longtemps, donne du plomb et de l'hélium. Le rubidium, autre métal radioactif, donne du strontium, tandis que le potassium, en perdant quelques-uns de ses atomes, donne un gaz, l'argon. Les seuls minerais qui renferment des quantités appréciables de roche radioactive sont la pechblende, ou uraninite, forme cristallisée d'oxyde d'uranium. La radioactivité des éléments est très utile pour déterminer à quelle époque se sont formées les roches qui les contiennent. On appelle demi-vie le temps que met la moitié d'une certaine masse de substance radioactive pour arriver au bout de son processus de désintétégration.

Certains éléments ont des isotopes, de même numéro atomique mais de masse atomique différente, qui peuvent être radioactifs. L'isotope courant du carbone, le carbone 12, par exemple, ne se désintègre pas, tandis que le carbone 14, lui, se désintègre, et a une demi-vie de 5730 ans, ce qui permet aux archéologues d'effectuer des datations assez précises. La demi-vie de l'uranium est de cinq milliards d'années, et il faut encore cinq milliards d'années pour que s'accomplisse la désintégration de la moitié de la moitié restante. et ainsi de suite. On comprend les dangers que représentent les activités nucléaires.

Echantillon de minerai radioactif, phosphate de calcium et d'aluminium. Les radiations se détectent à l'aide d'un compteur Geiger.

Coupe d'un fragment d'uraninite, que l'on appelait pechblende et que l'on rejetait autrefois, quand on en trouvait dans les mines d'argent. Vers la fin du XVIIIe siècle, on identifia un nouvel élément contenu dans la pechblende, qu'on appela uranium, et l'on découvrit un siècle plus tard la radioactivité de cette substance.

Cette substance est tellement radioactive que, lorsqu'on la place sur du papier photo, il s'y forme une image du caillou. Outre l'uranium, l'uraninite contient du radium et du polonium. Le radium fut isolé par Pierre et Marie Curie en 1898 à partir de la pechblende.

❏ Les gisements les plus riches en uranium se trouvent, en France, dans le Limousin, aux Etats-Unis, dans le Colorado, dans des dépôts sédimentaires vieux de 180 à 230 millions d'années. On voit ci-dessus un échantillon de minerai d'uranium.

❏ Les géologues ont découvert des piles atomiques naturelles, dans des endroits où les isotopes atomiques des minerais se sont accumulés pour atteindre des masses critiques dont les radiations affectent les roches environnantes. Ce phénomène naturel fut découvert lorsque les compteurs Geiger utilisés par des minéralogistes testant l'uraninite (ou pechblende) indiquèrent des niveaux de radiations bien plus élevés que le niveau ordinaire du minerai.

❏ Dans les fouilles archéologiques, le carbone 14, isotope radioactif du carbone, permet de dater les matériaux carbonisés.

❏ Comme les animaux dangereux, la plupart des minéraux fortement radioactifs sont vivement colorés.

Les minerais : la richesse du sous-sol

Les activités industrielles - industrie lourde ou industrie d'équipements, industrie de transformation et l'industrie de précision, industrie de biens de consommation et même industrie minière - ont toutes besoin en abondance de matières premières, au nombre desquelles les métaux et les produits chimiques. Les gisements qui contiennent les minerais dont on extrait les métaux doivent pour être rentables être suffisamment riches et accessibles aux méthodes d'extraction en profondeur ou à ciel ouvert. En règle générale, plus l'exploitation se fait à proximité de la surface, et plus elle est économique, ce qui revient à dire que l'extraction en profondeur est plus coûteuse. Il arrive que les gisements soient à l'horizontale, ce qui rend l'exploitation relativement commode une fois dégagée la surface. L'une des matières premières les plus importantes de l'histoire de l'humanité est le fer, connu et utilisé depuis des millénaires. Ce métal fut même pendant longtemps plus précieux que l'or, trop tendre pour qu'on en fasse des outils ou des armes. Chez les Sumériens, il y a quatre mille ans, le fer était appelé "métal céleste". C'est à cette époque que l'homme découvrit les techniques d'extraction des métaux. Le fer se trouve rarement à l'état natif, c'est-à-dire sous forme de métal naturellement pur, mais il se présente souvent ainsi dans les météorites. La plus grande partie du fer que l'on extrait de nos jours provient de gisements sédimentaires dont la formation remonte à 600 millions d'années, en l'absence presque complète d'oxygène, condition favorisant l'association du fer et d'autres roches.

L'hématite, dont le nom vient du grec *hoematites*, qui signifie "rouge sang", est l'un des principaux minerais de fer. Il se rencontre sous forme de cristaux et sous forme de rognons, comme ici.

Les Sumériens, dont la civilisation s'étendait sur une partie de l'actuel Irak, furent les premiers à utiliser le cuivre, et ouvrirent la voie au travail des métaux. Les techniques sumériennes étaient déjà bien avancées en l'an 2300 avant notre ère, comme en témoigne ce magnifique bison en cuivre massif.

Vue d'une mine de cuivre, dans l'Arizona. Les gisements de minerai de cuivre sont en général très abondants.

Exposé aux rayons ultraviolets, ce minerai de manganèse et de cuivre renvoie des rayons bleus et violets.

❑ On pense, à juste titre, que le monde risque un jour de se trouver à court de minerais à usage industriel, comme l'argent, le zinc ou le cuivre, et bien d'autres, même si les ressources de fer et d'aluminium semblent inépuisables. Diverses variétés de plastique sont donc appelées à prendre la place de nombreux métaux, faute de quoi l'homme se verra contraint d'exploiter des gisements très profonds jusqu'alors considérés comme trop coûteux.

❑ Certains minerais produisent des cristaux de toute beauté. Ceux que l'on voit ci-dessus sont des cristaux de céruse, carbonate de plomb que l'on employait autrefois en peinture.

❑ Lorsque le fer et le carbone se combinent en alliage, on obtient de l'acier. L'acier inoxydable fut découvert par hasard, par ajout de 14% de chrome, dont la présence empêche la formation de rouille.

❑ Ramenés pour la première fois à la drague du fond de l'océan Atlantique en 1895, les nodules de manganèse sont à même de nous fournir des métaux lorsque l'extraction de ceux-ci sera devenue rentable. Un nodule contient en moyenne 20% de manganèse, 6% de fer, 1% de nickel et 1% de cuivre.

Les richesses utiles de la Terre

L'aluminium, métal léger mais solide, s'extrait d'un minerai que l'on appelle la bauxite (nommé ainsi d'après levillage des Baux-de-Provence, où l'on en découvrit le premier gisement), oxyde de fer et d'aluminium que l'on trouve en Europe et en Amérique. Lorsque, à grands frais, on en commença l'extraction, au XIXe siècle, on n'eut d'abord aucune idée de l'utilisation que l'on pourrait en faire. De nos jours, comme on le sait, son usage, domestique ou industriel, s'est répandu de manière considérable. Autre métal dont l'usage s'est largement répandu, dans la métallurgie, en raison de sa résistance aux acides, et en peinture, où l'on utilise son oxyde pour fabriquer du blanc, le titane se rencontre dans la plupart des roches ignées ou sédimentaires. L'étain, dont on fabriquait des timbales et des petits soldats bien connus voici encore un siècle, se fait rare de nos jours car il a été supplanté par des métaux plus durables et par les omniprésents plastiques. Lorsqu'on l'utilisait encore, l'étain s'extrayait de la cassitérite, qui est un oxyde d'étain naturel. Les alliages, qui se fabriquent en fondant ensemble deux ou plusieurs métaux, ont donné à plusieurs métaux traditionnels que l'on avait abandonnés, comme l'étain, l'occasion de faire une deuxième carrière dans notre monde moderne. Au nombre des éléments, il en est un qui n'est pas un métal mais qui compte sans conteste parmi les richesses utiles de notre planète : le soufre. Il s'extrait de gisements de calcaire, de pyrite ou de gypse, mais il se rencontre également à l'état natif. Son odeur piquante caractéristique hante souvent le pourtour des cratères volcaniques et les roches y sont parfois couvertes de cristaux jaune clair.

Les élégants cristaux de soufre, l'une des substances les plus couramment utilisées. Avant que l'on commence à identifier les éléments chimiques naturels, le soufre était considéré comme l'un des principes actifs, une condensation de la matière du feu, et l'on attribuait au phlogistique qu'il contenait sa propriété de s'enflammer en dégageant des vapeurs irritantes.

La bauxite, principal minerai d'aluminium, doit son nom au village des Baux-de-Provence.

Ici, en Ethiopie, des gaz chargés de soufre se sont échappés, laissant le minéral jaune se cristalliser autour des fissures dans une zone d'activité volcanique.

Ce support de bronze fut fabriqué à Chypre, où l'on travaillait le cuivre, entre 1600 et 1100 av. J.-C. Le bronze, mélange de cuivre et d'étain, fut sans doute le premier alliage utilisé par l'homme.

LE SAVIEZ-VOUS ?

❑ Le mercure est le seul métal qui se trouve à l'état liquide à la température ordinaire. Il se solidifie à -38,9°C. Il s'extrait d'un minerai appelé cinabre (voir page 47), mais il se rencontre également à l'état liquide, sous forme de petites perles brillantes comme on en voit ci-dessous. Autrefois utilisé pour fabriquer des miroirs, le mercure - aussi appelé vif-argent - s'emploie dans la fabrication d'appareils de physique, d'explosifs et de médicaments.

❑ Le zinc et le cuivre donnent un alliage dur appelé le laiton (ou cuivre jaune). Le bronze à canon est un alliage plus tendre, de cuivre et d'étain.

❑ Le platine est un métal noble, au même titre que l'or. Il se rencontre rarement à l'état natif, mais se trouve parfois associé à de l'or ou à du cuivre. Parmi le gravier de certaines rivières de l'Oural, on a trouvé des grains et de petites pépites de platine, dont la plus grande pesait près de 6 kilogrammes.

❑ Le bouclier précambrien canadien est une immense région restée à peu près intacte depuis 600 millions d'années, qui contient de vastes gisements de cuivre, de nickel, de fer et d'or.

L'or, précieux et fabuleux

L'or. Un nom qui évoque les merveilles du monde antique et le célèbre masque de Toutankhamon, les trésors des Amériques pillés par les envahisseurs espagnols, ou encore les fameuses "ruées vers l'or" de Californie et d'Alaska. Par une curieuse ironie du destin, sans doute liée à la cupidité inhérente à la nature humaine, une grande partie de l'or introduit sur le marché s'empresse de retourner à l'ombre, dans les coffres-forts et les chambres fortes des banques, ou dans le trésor jalousement gardé des collectionneurs. L'or est un métal malléable et inaltérable (il ne s'oxyde pas, ni à l'eau, ni à l'air). A l'état naturel, il peut contenir une certaine proportion d'argent : il est alors plus pâle.

L'or est un métal lourd, dont la masse varie suivant son degré de pureté. L'or se trouve à l'état natif mêlé à du sable (sable aurifère) ou à des dépôts rocheux : il forme alors des pépites et se trouve associé à du quartz, que l'on appelle quartz aurifère, comme en Australie, en Sibérie, en Inde, au Canada, en Afrique du Sud, au Brésil, au Ghana, aux Etats-Unis et dans bien d'autres pays. Il est particulièrement paradoxal que ce métal, le plus célèbre de tous les métaux précieux, n'ait jamais pu, en raison de sa malléabilité, être utilisé dans la fabrication d'outils : les peuples de l'Antiquité ne s'en sont jamais servis pour fabriquer leurs marteaux, par exemple, ou leurs couteaux. Il n'en est pas moins, depuis des millénaires, objet de convoitise et d'admiration sur tous les continents. Les trésors de l'ancienne Egypte sont d'une richesse fabuleuse. L'or des Egyptiens contient souvent des impuretés et se trouve souvent mêlé à de l'argent, métal rare à cette époque, car les Egyptiens ignoraient les techniques permettant de l'extraire du minerai d'argent. Ils considéraient l'argent comme de l'or pâle.

Lorsque l'or apparaît, se révèle la cupidité de l'homme, et c'est la ruée vers l'or. Ici, en Nouvelle-Zélande, les alluvions sont lavées au jet, puis les boues sont tamisées pour séparer les particules minuscules du métal précieux.

L'or se rencontre rarement en pépites, comme celle-ci, trouvée dans les monts de l'Oural. Il est plus rare encore d'en trouver des cristaux de forme parfaitement cubique.

L'ouvrage d'or battu le plus célèbre: le masque de Toutankhamon.

Sur le front, le cobra et le vautour, symboles dynastiques de la Haute et de la Basse-Egypte.

LE SAVIEZ-VOUS ?

❏ En Australie, à Ballerat, fut découverte (ou plutôt trouvée)... dans l'ornière d'un chemin, une pépite qui ne pesait pas moins de 85 kilogrammes.

❏ L'expression "riche comme Crésus" n'est pas sans fondement. Ce roi, qui régna au VIe siècle av. J.-C. sur unpays qui correspond à une partie de la Turquie actuelle, fit don au temple d'Apollon de Delphes d'une quantité d'or dont le poids s'élevait à 3,3 tonnes!

❏ La célèbre ruée vers l'or de Californie commença en 1849. L'or était extrait en lavant le sable des cours d'eau, que l'on remontait jusqu'à leur source, dans la Sierra Nevada.

❏ L'or le plus pur fait 24 carats (il contient vingt-quatre vingt-quatrièmes du métal précieux). C'est la qualité de l'or en barres ou en lingot (ci-dessous). Chaque barre porte un poinçon indiquant son année de fabrication. Les bijoux en or font souvent 14 carats, ce qui signifie qu'ils contiennent 14 parties d'or pour dix de cuivre; l'or à dix-huit carats contient dix-huit parties d'or pour six de cuivre.

L'argent

L'argent se trouve à l'état natif en pépites, en fils entrecroisés comme des torons, ou en feuilles dont on a quelque peine à croire, en les voyant, que l'homme ne les a pas déjà travaillées. Une bonne partie de la production mondiale vient des Etats-Unis et du Canada, où on l'extrait d'un sulfure d'argent appelé argyrose ou argentite. L'argent se trouve également associé en feuilles à des minerais de cuivre, ou encore uni à du plomb, à de l'antimoine, à du zinc ou à du chlore. En Norvège, il se trouve dans des formations de calcites. A la différence de l'or, l'argent se ternit rapidement sous l'effet de l'oxydation. Il se corrode même, au fil des années, au point d'en être réduit en poussière, dans les tombeaux antiques par exemple, alors que l'or garde intact tout son éclat. C'est peut-être pour cette raison que, lorsque nous savons qu'une civilisation antique fabriquait ses bijoux aussi bien en argent qu'en or, seuls se retrouvent en abondance les objets en or. A Babylone, les Chaldéens fabriquaient déjà des objets en argent il y a 6000 ans, bien avant que les Egyptiens ne sachent séparer l'or de l'argent. Pendant des millénaires, la valeur du métal blanc fut l'égale de celle de l'or. Au Moyen Age, on confia à des orfèvres le soin d'éprouver l'argent : la méthode, assez rudimentaire, consistait à frotter le métal à l'aide d'une pierre de touche, fragment de jaspe noir, puis à observer les stries ainsi creusées. Mais lorsque les conquérants espagnols firent main basse sur l'Amérique et y découvrirent la richesse des mines d'argent, l'abondance du métal précieux ne tarda pas à en faire chuter le cours.

Grand plat d'argent de 60 centimètres de diamètre et pesant 8 kilogrammes, qui fait partie du trésor de Mildenhall.

En 363 ap. J.-C., un dignitaire romain en visite en Grande-Bretagne, du nom de Lupicinus, se brouilla avec son empereur et fut mis aux arrêts. Près de seize siècles plus tard, vers 1940, un laboureur découvrit dans un champ du Suffolk l'un des plus fabuleux trésors trouvés à ce jour, qui lui aurait sans doute appartenu, composé de 34 pièces d'argenterie.

Comme l'or, l'argent se rencontre à l'état natif, mais plus fréquemment, il apparaît en formes tordues et en fils comme on en voit ici. On en a trouvé également de gros blocs isolés. Il forme parfois un revêtement couvrant d'autres minéraux.

L'une des plus célèbres mines d'argent, la mine de la Colline Brisée, se trouve en Australie, en Nouvelle-Galles du Sud. On en extrait également du plomb.

❏ Le célèbre *silver dollar*, ou dollar d'argent (ci-dessus), est très recherché par les amateurs de westerns hollywoodiens et par les numismates. Il fut émis en 1873, puis disparut aussitôt. Le Congrès décida en 1878 de le remettre en circulation, et donna l'ordre à l'Hôtel des Monnaies d'en frapper jusqu'à concurrence de 4 millions de dollars par an. Après une interruption en 1935, on en fit une nouvelle émission en 1964.

❏ L'argent est un des rares métaux qui se trouve en filons à l'état natif, c'est-à-dire à l'état pur sans qu'il soit nécessaire de le raffiner ou de l'extraire par fusion. L'or, le cuivre et le platine sont d'autres métaux qui se trouvent également à l'état natif.

❏ L'or et l'argent forment parfois un alliage naturel, qu'on appelle électrum. Cet alliage était très estimé dansl'Antiquité.

❏ Les mines d'argent d'Amérique du Nord et du Sud ont produit plus de 10 millions de tonnes de minerai.

❏ L'argent en petite quantité et l'iode combinés donnent un composé, l'iodure d'argent, dont on se sert pour provoquer la pluie en le pulvérisant sur les nuages à partir d'un avion.

Les diamants éternels

Le diamant est une forme naturelle du carbone. Ses facettes renvoient des éclats de lumière, et c'est la pierre précieuse la plus brillante, mais aussi la plus dure de toutes. Le nom de cette pierre vient du grec *adamas*, qui signifie à la fois dur et invincible : le diamant raye tous les corps sans être rayé par aucun, sauf par un autre diamant. Un coup sec peut cependant le casser. Le plus souvent incolore, il peut être parfois bleu pâle ou plus sombre, ou encore jaune, marron, vert ou rose. Les premiers diamants connus venaient d'Inde et de Birmanie, voici 2500 ans. Au Brésil, les premiers diamants que l'on découvrit furent trouvés en 1728 par des esclaves qui travaillaient dans les mines d'or. La légende raconte que l'Etoile du Sud, célèbre diamant de 254 carats, fut découverte par une esclave qui, en récompense, fut affranchie et reçut une pension à vie. En Afrique du Sud, le cratère de la mine de diamants de Kimberley est le plus vaste que l'homme ait jamais exploité. Cette exploitation commença lorsque des diamants furent trouvés à la surface, et suivit une cheminée volcanique jusqu'à une profondeur de 125 mètres. En 1914, les parois s'effondrèrent et l'on cessa de creuser. On avait alors extrait 25,5 millions de tonnes de kimberlite - la roche volcanique contenant les diamants - et obtenu trois tonnes de diamants. La proportion des pierres précieuses et du minerai était de un pour 14 millions. Les diamants ont joué un rôle dans d'innombrables épisodes de l'histoire de l'humanité, et suscité les aspirations les plus élevées comme la plus basse cupidité. De nombreux hommes ont donné leur vie pour eux, et on les a même considérés comme moyen de tuer.

Au milieu du XVIe siècle, on essaya d'assassiner le célèbre orfèvre Benvenuto Cellini en mettant de la poudre de diamant dans ses aliments. Mais les assassins regardèrent à la dépense, au détriment de l'efficacité, et au lieu de diamant utilisèrent du béryl : la tentative échoua. Ni Cellini ni ses ennemis ne le savaient, mais jamais la quantité utilisée n'aurait de toute façon été suffisante pour tuer quelqu'un!

Un diamant taillé pour faire un brillant comporte 33 facettes dans sa partie supérieure et 25 dans sa partie inférieure. La lumière qui se réfracte et se réfléchit à l'intérieur se décompose selon les couleurs du prisme avant d'étinceler à la surface.

Diamant enchâssé dans sa gangue de pierre. Lorsque le carbone subit des pressions extrêmes, dans les profondeurs de la Terre, les atomes de carbone se soudent en groupes de cinq et forment le diamant.

Le pendentif du milieu de ce collier de diamant pèse 20,05 carats et constitue un bel exemple de taille de qualité. Il faut consacrer des semaines d'étude aux plans que forme l'intérieur d'un cristal avant de commencer la taille de la pierre. Le moindre faux mouvement peut dès le début du travail réduire en fragments une grande pierre à l'état brut. Le diamant s'estime d'après son éclat, sa coloration, la qualité de sa taille et son poids en carats.

LE SAVIEZ-VOUS ?

❏ Les facettes des diamants se taillent à l'aide d'un disque de bronze phosphoreux dont le pourtour est recouvert de poudre de diamant : seul le diamant peut tailler le diamant. Le disque tournant à 6000 tours/minute, la taille d'un diamant de 1 carat peut prendre une journée entière!

❏ Pline l'Ancien, naturaliste romain du Ier siècle de notre ère (23-79), affirmait que les diamants écartaient la peur et protégeaient de la folie. Dans l'antiquité, les Romains trempaient les diamants dans du sang de chèvre avant de les tailler, afin, pensaient-ils, de les rendre plus fragiles.

❏ Le "Culliman", diamant nommé d'après Sir Thomas Culliman, pesait 700 grammes avant d'être taillé. Il fut offert au roi Edouard VII d'Angleterre en 1907. La même pierre donna également l'"Etoile d'Afrique", un diamant de 530 carats qui se trouve actuellement dans le sceptre royal de la reine Elisabeth. Le "Culliman" donna encore une centaine d'autres pierres, dont un diamant de 317,4 carats qui alla rejoindre la couronne impériale britannique.

❏ Diamant et graphite (ci-dessous) ont la même composition chimique, mais la structure de leurs cristaux est différente. Le cristal de graphite est plus tendre, un peu huileux au toucher, et il laisse des traînées noires.

Le corindon, le saphir et le spinelle

De nombreuses pierres précieuses parmi les plus connues sont des minéraux colorés par des oxydes métalliques, qui eux-mêmes sont des composés résultant de la combinaison d'un métal avec l'oxygène. Le corindon, lui, est une pierre très dure et terne - c'est notamment le cas du corindon granulaire, utilisé comme abrasif, qui se trouve en abondance au Canada ou en Afrique du Sud. Il se rencontre en gisements, semblable à des grains de sable, et on le mélange à de l'hématite et à de la magnétite (deux oxydes naturels de fer) pour en faire de la poudre d'émeri. Il ne viendrait à personne l'idée de faire admirer "le corindon" d'une bague et pourtant, sous une forme légèrement différente, cette pierre, diversement colorée par des oxydes métalliques verts, rouges, jaunes ou violets devient aussi le rubis ou le saphir tant recherchés! Le saphir est constitué d'alumine colorée de traces de cobalt, d'oxyde de titane, de chrome ou de fer. Les plus beaux saphirs viennent du Cachemire, où ils sont, aux dires d'un expert, "riches , royaux et velouteux", et où ils possèdent la "quintessence du bleu saphir". Le nom du saphir vient du mot *sappheiros*, qui signifie "bleu" en grec. De Birmanie proviennent d'autres saphirs de belle qualité et de couleur rose, de Sri Lanka les très rares *padparadscha* de couleur rouge rosé - dont le nom en sanscrit signifie lotus - ainsi que des saphirs d'un très beau bleu, d'Afrique orientale des saphirs de couleur pourpre, or ou jaune. Aux Etats-Unis, dans le Montana, on extrait de la mine de Yogo Gulch des saphirs d'un bleu violet, mais la mine n'est pas assez profonde pour qu'on puisse atteindre les pierres de belle taille qui, pense-t-on, se situent à plus de 2000 mètres sous terre. Les saphirs étoilés sont des pierres qui contiennent du rutile (bioxyde de titane) et dont la structure cristaline est à triple orientation, de telle sorte que lorsqu'on regarde la pierre sous un angle particulier, la lumière réfractée se divise en six rayons du plus bel effet. l'homme a mis au point une technique permettant d'obtenir ce genre de saphirs à partir de saphirs opaques, en plaçant ceux-ci dans des fours à très haute température.

Le marché du saphir abeaucoup évolué depuis la fin du XIXe siècle; le Cachemire produisait alors ces pierres en abondance, qui étaient donc bon marché, jusqu'au moment où les gisements furent épuisés.

Ce pendentif de diamants et de saphir bleu foncé, qui pèse 114 carats, fait partie d'un collier des mêmes pierres. Les experts font grand cas des saphirs du Cachemire, en raison de la rareté de tons des grosses pierres, comme celle que l'on voit ici. Comme on chauffe souvent des pierres de mauvaise qualité afin de les faire passer pour d'authentiques belles pierres, un saphir doit s'accompagner d'un certificat d'authenticité.

Cristal brut de la couleur du bleuet. On remarquera la base par laquelle, comme par des racines, le cristal était relié à sa gangue, en des points où les facettes régulières du cristal ne peuvent se former.

❏ Au risque de créer une certaine confusion, il existe des saphirs verts (qui sont une variété verte de corindon, et non de béryl), que l'on appelle émeraudes orientales, et des saphirs jaunes.

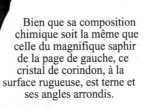

❏ L'éclat du spinelle brut (ci-dessus) valut à cette pierre le nom d'"étincelle" chez les Grecs de l'Antiquité. Les cristaux de spinelle sont en général de petite dimension; l'un d'eux, qui fait partie des joyaux de la couronne d'Angleterre, est réputé pour sa taille exceptionnelle. Une autre pierre, en Russie celle-ci, est célèbre pour ses 400 carats. Un peu plus tendre que le corindon, le spinelle ressemble beaucoup au rubis, et s'utilise comme pierre précieuse en joaillerie. Il est le plus souvent rouge, mais il peut être aussi bleu-violet, vert foncé, noir ou brun.

Bien que sa composition chimique soit la même que celle du magnifique saphir de la page de gauche, ce cristal de corindon, à la surface rugueuse, est terne et ses angles arrondis.

❏ Lorsqu'il est incolore, le saphir s'emploie parfois comme substitut du diamant.

❏ Le commerce du saphir fut quelque peu perturbé lorsqu'on eut l'idée, en Thaïlande, de chauffer des pierres quelconques contenant du fer, de couleur jaune pâle, pour les vendre - sans difficulté aucune - en les faisant passer pour des "saphirs dorés".

41

La richesse du rubis

Le rubis, du latin *rubeus*, qui signifie "rouge", évoque les fabuleux et riches joyaux qui ornent couronnes et tiares. Tout comme le saphir, c'est une variété de corindon - cet oxyde terne et froid - que colore en rouge la présence d'une toute petite quantité de chrome. La couleur du rubis peut aller du rouge carmin à un sombre rouge pourpré (ou "sang de pigeon"), ce dernier apparaissant dans les gisements de Birmanie, qui contiennent les plus beaux rubis. Les rubis sont parmi les pierres précieuses les plus rares du monde, et seuls six d'entre eux ont reçu un nom. L'un de ceux-ci (le "De Long") fait 100 carats; un autre (le "Rosser Reeves") en fait 138,7. L'un des plus gros rubis, une pierre de 250 carats, fait partie de la couronne de saint Venceslas, couronne de Bohême, depuis le XIVe siècle. Un autre "rubis" est réputé pour avoir été porté par le Prince Noir, fils du roi Edouard III d'Angleterre, en 1367, puis par le roi Henri V à la fameuse bataille d'Azincourt (1415). A dire vrai, ce rubis n'en est pas un : plusieurs siècles après la mort des illustres personnages qui le portèrent, on découvrit en l'examinant qu'il ne s'agissait que d'un rubis spinelle. L'histoire de cette célèbre pierre ne s'arrête pas là : en 1761, elle fut volée par l'ignoble capitaine Blood avec les joyaux de la Couronne. Celui-ci, une fois capturé, entra comme espion au service de Charles II en échange de sa grâce. Le roi Gustave III de Suède offrit à Catherine de Russie un rubis de belle taille... dont on découvrit par la suite qu'il s'agissait d'une tourmaline! La plupart des pierres rouges furent en effet considérées comme des rubis jusqu'à la fin du XVIIIe siècle, où on établit enfin la parenté du rubis et du corindon.

Le Mogok, en Birmanie, est réputé pour l'excellence des rubis contenus dans ses gisements calcaires. C'est là que se trouvent les très appréciés rubis couleur "sang de pigeon".

Cristaux de rubis dans leur gangue de calcaire à côté d'un grand rubis brut. Ce rubis doit subir un travail considérable avant d'entrer dans une collection de bijoux.

Les plus beaux rubis sont de couleur "sang de pigeon". Rares sont ceux qui atteignent 25 carats, et ils en ont d'autant plus de valeur. La forme de ce rubis brut permet de penser qu'il donnera plusieurs pierres de belle qualité.

De nombreux royaumes d'Europe exposent ou exposèrent avec fierté les joyaux de leur couronne. Le pendentif d'or, de rubis et de diamants que l'on voit ici faisait partie de ceux de la couronne de Bavière. En haut, un lion en or, emblème du duc de Bavière (1129-1195), surnommé "le Lion" en raison de sa bravoure à la guerre. Au centre, un médaillon représentant saint Georges, vainqueur du Dragon.

❏ Cette coupe d'un rubis brut trouvé à Sri Lanka (ci-dessus) montre la surface rugueuse et la forme triangulaire du cristal. Cette pierre est d'un rouge pourpré propre aux rubis de Sri Lanka, tandis que ceux de Birmanie sont d'un rouge qui rappelle celui de certains vins.

❏ Avant le XVIIe siècle, les cristaux de rubis n'étaient pas taillés à facettes, mais leurs faces étaient polies : la face inférieure aplanie et celle du dessus arrondie. La forme ainsi obtenue était caractéristique et convenait à merveille à cette pierre très colorée. On appliquait la même technique à d'autres pierres : les gemmes ainsi apprêtées s'appelaient des cabochons (dont le nom est un dérivé de *caboche*, "tête").

❏ Il existe un type de laser qui emploie des cristaux de rubis. Les atomes de chrome que contient le rubis sont stimulés par les ondes lumineuses et leurs oscillations produisent une lumière rouge dont l'intensité est assez puissante pour couper l'acier.

Le sel de la Terre

Le sel, composé plus ou moins pur de chlorure de sodium, peut s'extraire de l'eau de mer, dont le goût salé vient précisément des quelque 2,7 pour cent de chlorure de sodium qu'elle contient. Dans les marais salants, que l'on creuse à proximité des côtes, l'évaporation de l'eau laisse des couches de gypse et d'autres sels cristallisés. Le sel gemme, quant à lui, s'extrait sur la terre ferme, dans les mines de sel. Les plus célèbres se trouvent en Autriche, dont les réserves, qui semblent inépuisables, sont exploitées depuis 3500 ans. Si notre sel de cuisine est composé de minuscules cristaux de sel, on peut en voir de géants (jusqu'à un mètre vingt de haut) au muséum d'histoire naturelle de Vienne. La fluorine, fluorure de calcium appelé également spath fluor, donne de très beaux cristaux dans lesquels les Grecs de l'Antiquité sculptaient des vases que les Romains collectionnèrent par la suite avec le plus profond respect. Le spath fluor se taille à facettes comme une pierre précieuse. Le spath d'Islande présente le phénomène de double réfraction; lorsqu'un rayon ultraviolet est réfracté par un cristal de fluorine, celui-ci émet une lumière violette. Ce phénomène - l'émission de radiations visibles sous l'influence de radiations ultraviolettes - est dû à la propriété de ces cristaux de transformer les radiations reçues en radiations de plus grande longueur d'onde: c'est précisément ce qu'on appelle fluorescence (terme qui s'emploie de nos jours pour désigner toutes les formes d'émission de lumière). Quant au terme de fluor, qui désignait certains minéraux comme le spath fluor, il désigne de nos jour un gaz halogène, jaune verdâtre, extrêmement dangereux à respirer, que l'on utilise comme désinfectant et comme agent réfrigérant.

Fluorine d'Espagne, d'un rose assez rare, parmi des cristaux blancs et floconneux de baryte (sulfate de baryum). La fluorine, ou spath fluor, est d'ordinaire verte, jaune ou bleue, et ses cristaux en forme de cubes donnent de belles pierres utilisées en joaillerie.

Ces cristaux cubiques de sel gemme des Andes viennent de la Vallée de la Lune, dans le désert d'Atacama, en Amérique du Sud. On a trouvé des cristaux atteignant 30 centimètres de long.

Les étendues mortelles du Désert de la Mort, en Californie. L'évaporation des eaux de lacs salés, dans cette région aride, a laissé ces plateaux de sel aux formes étranges, de véritables déserts de chlorure de sodium.

❏ Une variété de fluorine, que l'on appelle également spath fluor, donne des cristaux à bandes bleues et violettes. Dans cette roche, les Grecs de l'Antiquité taillèrent des vases d'une grande élégance et de nombreux objets décoratifs.

❏ Le sel est une roche que l'on peut rencontrer sous forme de dômes qui se dressent dans les terrains environnants. Ces dômes de sel sont constitués d'énormes masses rocheuses venues à la surface sous l'effet de la compression exercée sur elles par les couches sédimentaires qui les renfermaient.

❏ Le plus grand gisement de sel du monde est celui de l'océan, qui en contient quelque 20 millions de kilomètres cubes! C'est la présence de chlorure de sodium qui donne son goût salé à la mer. Lorsque les conditions climatiques ou écologiques sont modifiées, l'eau disparaît (par évaporation ou à cause des activités humaines), et le sel se cristalise: c'est le cas de la mer Morte, ou des lacs salés américains.

❏ Un être humain consomme en moyenne 7,5 kilogrammes de sel par an.

Les sulfures et l'"or des dupes"

L'éclat argenté des cristaux de sphalérite ne peut être que trompeur. Ces cristaux cubiques de sulfure de zinc ressemblent également au premier abord à de la galène, minerai dont on extrait le plomb.

La pyrite est un sulfure naturel de fer. Comme les autres sulfures métalliques - parmi lesquels la chalcopyrite (cuivre et fer), la marcassite (bisulfure de fer), la molybdénite (sulfure de molybdène), la galène (sulfure de plomb), la sphalérite ou blende (zinc), le cinabre (sulfure de mercure) - il se forme lorsque de l'eau contenant ses éléments chimiques subit des pressions élevées. Certains de ces sulfures sont d'apparence trompeuse et semblent contenir des métaux précieux. Ainsi la sphalérite, dont l'éclat prometteur fit croire à des mineurs espagnols du XVIe siècle qu'ils avaient trouvé du minerai d'argent. Dans la Grèce antique, on avait remarqué sa ressemblance frappante avec la galène (minerai de plomb) et, comme il était impossible d'en extraire du plomb, on appela ce sulfure *sphaleros*, qui en grec signifie "trompeur". C'est en 1751 seulement qu'on l'appela blende, lorsqu'on découvrit qu'il contenait du zinc. On en a extrait d'énormes cristaux de certains gisements en Espagne, mais ce minerai se rencontre en plusieurs endroits d'Europe. Quant à la pyrite, c'est un minerai bien connu des collégiens d'autrefois, lorsqu'on se chauffait encore au charbon et que l'on voyait souvent des morceaux de charbon couverts par endroits d'une mince pellicule dorée. Un choc fait jaillir des étincelles d'un cristal de pyrite, d'où le nom de *pyrites* que lui donnèrent les Grecs, qui signifie "pierre de feu". La ressemblance de ce minerai avec le minerai d'or est telle qu'on l'a surnommé familièrement "or des dupes". Il lui arrive parfois cependant de contenir effectivement de l'or, ou du cuivre. Mais c'est pour la fabrication de l'acide sulfurique qu'on l'exploite. Les premiers producteurs mondiaux sont le Japon et les mines du Rio Tinto, en Espagne. Les petits cristaux de marcassite, dont la composition chimique est la même que celle de la pyrite, et qui recouvrent parfois des cubes de galène ressemblent également à de l'or. La galène, qui se rencontre dans presque tous les terrains, et dont on extrait le plomb, est un sulfure gris bleuâtre, à clivage parfait et à cristallisation cubique. C'est de ce minerai que les Romains tiraient le plomb dont ils fabriquaient leurs tuyaux, et dont on découvrit les dangers deux millénaires plus tard.

Cette coupe transversale d'un nodule de marcassite montre la structure rayonnante des cristaux. La structure chimique de la marcassite est la même que celle de la pyrite, mais elle s'oxyde beaucoup plus rapidement.

La combinaison chimique du sulfure de fer donne des cristaux cubiques de pyrite, ou pyrite de fer: c'est l'"or des dupes".

La sphalérite se présente sous de multiples aspects: cristaux opaques, comme ceux que l'on voit ici, ou au contraire clairs et translucides (jaunes, bruns ou noirs).

Galène du Mexique. Un choc fait tomber les cristaux en une multitude de minuscules cristaux identiques. Contenant plus de 80% de plomb, la galène est très recherchée dans la fabrication de revêtements protecteurs utilisés dans la manipulation des matériaux radioactifs.

La pyrite, que l'on rencontre aussi bien dans des roches ignées que dans des roches sédimentaires, se forme dans un milieu anaérobie.

LE SAVIEZ-VOUS ?

❑ De nombreux chercheurs d'or, ignorants ou naïfs, se sont laissés tromper par la coloration dorée de la pyrite, et ont vu s'envoler leurs espoirs devant l'essayeur du bureau de garantie. Pour savoir si l'on a affaire à de la pyrite ou à de l'or, il suffit de frotter la roche sur une surface rugueuse: l'or laisse une trace dorée, tandis que la pyrite laisse une trace noire.

❑ Les Incas polissaient des dalles de pyrite pour en faire des miroirs (entre l'an 1300 et l'an 1530 de notre ère).

❑ L'oxydation de la pyrite est un processus dangereux, qui produit de l'acide sulfurique, substance extrêmement corrosive.

❑ Souvent associé à la pyrite, le cinabre (ci-dessous) est un sulfure de mercure. C'est précisément le minerai dont on extrait le mercure. Pour les Grecs et les Romains, cette roche était importante non seulement parce qu'elle leur donnait le "vif argent", mais encore parce qu'ils en tiraient - une fois la roche réduite en poudre - un pigment rouge qu'ils appelaient *kinnabari*. Le cinabre s'extrait en Espagne depuis 2000 ans et cette roche, qui se rencontre en de nombreuses régions du monde, continue à se former à proximité des sources chaudes.

Le gypse

La sérénité dans l'albâtre, variété de gypse au grain très fin. Dans le tombeau de Toutankhamon, pharaon de la XVIIIe dynastie, quatre vases d'albâtre contenaient les viscères de l'enfant-roi, placés chacun sous la protection d'une déesse: Isis, Nephthys, Neith et Selkit.

Lorsque l'eau de mer s'évapore, la première roche à se former est le gypse. Ses cristaux, constitués de sulfate de calcium hydraté, se rayent facilement et sont parfois incolores, mais le plus souvent teintés de brun ou de jaune. Sous la pression d'autres roches, la structure de ces cristaux se transforme et devient plus compacte: c'est ainsi que se forme l'albâtre. Ce nom vient du grec *alabastos*, terme qui désigne les vases à parfums qui souvent étaient sculptés dans cette roche, dont le grain très fin donne un beau poli. Lorsqu'on ouvrit les tombeaux des pharaons de la première dynastie (3000 ans avant J.-C.), on fit non seulement d'importantes découvertes à propos des coutumes et de la langue des Egyptiens, mais on trouva de splendides vases sculptés dans l'albâtre. Le gypse se présente également sous une forme cristallisée transparente comme du verre, appelée sélénite. Lorsqu'on mit au jour les ruines de Pompéi, la ville engloutie par les laves il y a 2000 ans, on découvrit que les fenêtres de certaines villas étaient vitrées de feuilles de sélénite.

Ces cristaux de gypse se dressent sur une colonne massive, de gypse également. Cette variété, claire et translucide, est très différente par son aspect de la pierre à plâtre. Toutes les variétés de gypse sont relativement tendres, et l'ongle suffit à les rayer.

LE SAVIEZ-VOUS ?

❏ Le gypse se rencontre dans de nombreuses régions du monde. En Egypte, l'aridité du désert produit de curieux cristaux en forme de fleurs (ci-dessus) que l'on appelle "fleurs des sables", ou "roses des sables".

❏ Le gypse a une très longue histoire. Avant d'être suffoqué par les émanations du Vésuve en éruption (en l'an 79 de notre ère), le Romain Pline l'Ancien rapporte qu'un sculpteur du nom de Lysippus fut le premier à réaliser un moulage au plâtre. De nos jours, le plâtre de Paris s'obtient en chauffant du gypse à une température de 400°C, température à laquelle il cesse d'absorber l'eau.

❏ De fines plaques de gypse symbolisaient la virginité et la pureté, et il fut un temps où on en accrochait aux statues religieuses.

❏ Le gypse est l'une des premières roches qu'étudia le Néerlandais Anton van Leeuwenhoek à l'aide du microscope qu'il avait inventé en 1695.

Les montagnes dolomitiques

La dolomite, ou dolomie, est une roche composée de carbonate de chaux et contenant une forte proportion de carbonate de magnésie, substances dont l'usage commercial et industriel est important. Cette roche est très répandue : il en existe même des montagnes - au sens propre - que l'on appelle les Alpes dolomitiques, en Italie, et les Dolomites (au Tyrol). Ces montagnes, et la roche qui les compose, doivent leur nom au géologiste français D. Dolomieu qui, en 1791, découvrit la véritable nature de cette roche, dont on croyait auparavant qu'il s'agissait simplement de calcite. La calcite, qui est un carbonate naturel de calcium, est une des roches les plus répandues. Il en existe des cristaux de belles dimensions, comme ceux découverts en Islande (île volcanique) il y a environ trois siècles ans dans des carrières de basalte, qui suscitèrent un vif intérêt en raison de leur élégante structure. Comme on eut alors l'impression que ces cristaux pouvaient avoir quelque valeur, on baptisa à l'époque cette roche "pierre d'argent". C'est par la suite seulement que l'on découvrit qu'il s'agissait en fait de calcite.

La malachite se reconnaît aisément à ses arabesques vertes et à sa forme d'éperon. Il s'agit d'un carbonate naturel de cuivre, qui se rencontre également sous forme de cristaux tranchants ou de poudre semblable à de la terre.

Les stalactites (qui se forment à la voûte) et les stalagmites (qui s'élèvent à partir du sol), sont des concrétions composées en bonne partie de calcite. Le calcaire et la craie sont presque exclusivement composés de calcite, à quelques impuretés près. La compression du calcaire à très haute température, sous l'effet de l'activité volcanique, transforme cette roche en marbre, pierre dans laquelle ont été taillées bon nombre des plus belles sculptures qui soient. Autre carbonate naturel, la malachite est une pierre d'un beau vert diapré utiliséé dans la fabrication d'objets d'art, ou même de bijoux. Comme elle contient plus de 55 pour cent de cuivre, c'est également un minerai de grande valeur.

Ces cristaux de calcite incolores en forme de "dents de chien" sont l'une des multiples formes sous lesquelles se présentent ce minéral.

De gigantesques stalactites et stalagmites ornent la "grande salle" de cette caverne du Nouveau-Mexique, découverte en 1911.

❏ Le spath d'Islande est une variété de calcite qui contient très peu d'impuretés et donne des cristaux de bonne dimension et extrêmement clairs. Il possède la propriété de double réfraction, c'est-à-dire que les rayons lumineux qui le traversent sont réfractés selon un angle qui produit des images doubles.

❏ La sculpture est la manifestation la plus élevée et la plus parfaite de l'art grec. Le matériau utilisé par les sculpteurs grecs est une forme de calcaire granuleux, le marbre, auquel on donna le nom de *marmoros*, qui signifie "pierre blanche et brillante".

❏ L'azurite est un carbonate naturel de cuivre d'une belle couleur bleue. Elle se rencontre à proximité de minerai de cuivre, dont elle est une forme altérée. L'azurite donne des cristaux plus facilement que la malachite.

❏ L'aragonite est une variété cristalline de carbonate de calcium. Trop tendre pour être utilisée en joaillerie, elle apparaît dans une grande diversité de teintes, et, pour la vendre, on la baptise parfois "onyx du Mexique".

❏ Calcite, dolomite, malachite et autres carbonates sont des sels de l'acide carbonique, la forme d'acide la plus courante. Cet acide se forme par absorption dans l'eau de pluie du gaz carbonique de l'air.

La famille du quartz

Le quartz est une forme cristalline commune de la silice (dioxyde de silice), incolore à l'état pur, et que l'on appelle "cristal de roche". C'est un élément constitutif fréquent d'autres roches, et il entre dans la composition de nombreuses pierres précieuses. Son existence fut découverte dans les Alpes, où l'on prit d'abord ses cristaux élégants pour des cristaux de glace. Certains cristaux de quartz ressemblent tellement à des diamants qu'on a pu s'y méprendre, voire en faire passer pour des diamants. De nos jours, cependant, un connaisseur ne s'y tromperait pas en raison de la différence de structure très nette entre les cristaux de quartz et les diamants. Les composés du quartz forment une vaste famille, à laquelle sont consacrées plusieurs des pages qui suivent. Parmi ces variétés l'on compte l'agate, l'onyx, le jaspe, et la sanguine, qui sont toutes des gemmes opaques. D'autres variétés, translucides celles-ci, sont également travaillées en joaillerie : améthyste, topaze, cristal de roche, quartz rose, calcédoine, quartz enfumé. Ce dernier peut être de couleur brune ou presque noir, selon la disposition des ions de silice à l'intérieur des cristaux. Le morion est une autre variété de quartz très sombre, presque noir. Le quartz laiteux doit son apparence à la présence de milliers de minuscules bulles d'air, et le quartz rose sa teinte délicate à la présence d'oxyde de manganèse. Sa coloration disparaît lorsque le cristal est porté à des températures de plus de 500°C. L'aventurine est constellée d'inclusions de mica, et l'oeil-de-chat est une variété de quartz chatoyant, parcouru de fibres d'amphibole.

Collier de perles de quartz rose. La coloration de cette variété de quartz aurait tendance à disparaître au soleil, mais elle revient lorsqu'on mouille la pierre.

Cristal de roche - ainsi appelle-t-on le quartz incolore - de Suisse. C'est dans les Alpes que l'on rencontre les plus beaux spécimens de cette roche.

Cette table de quartz laiteux s'atteint au prix d'une longue escalade. Elle forme le sommet d'un mont (Shining Rock Moutain) de Caroline du Sud. Sa couleur blanche est due à la présence de minuscules bulles d'air à l'intérieur des cristaux.

LE SAVIEZ-VOUS ?

❏ Le quartz est le principal élément constitutif du sable. Le sable fin des plages est composé de minuscules grains de quartz polis par l'action de l'eau, tandis que le sable des déserts, balayé par les vents, garde des formes anguleuses.

❏ Un cristal de quartz de bonne qualité placé dans un champ électrique émet des vibrations de fréquence constante. Cettepropriété est utilisée en électronique, et dans lafabrication d'articles de consommation courante et de matériel industriel.

❏ Les plus beaux cristaux de quartz se trouvent à l'intérieur des géodes (masses pierreuses creuses, sphériques ou ovoïdes, dont l'intérieur est tapissé de cristaux résultant de la condensation minérale dans des cavités occupées à l'origine par des gaz retenus dans la roche). La géode que l'on voit ci-dessus contient des agates (de couleur brune), et la cavité est tapissée de cristaux de quartz étincelants.

❏ Le quartz est d'une grande stabilité. Des expériences ont montré qu'au bout de trois ans d'immersion dans l'eau, des cristaux de quartz n'avaient perdu qu'un trois-millionnième de leur volume.

❏ A Washington, la Smithsonian Institution possède un quartz de forme sphérique originaire de Birmanie, sans défaut, dont le poids est de 450 kilogrammes.

La citrine, l'œil-de-chat et le prase

Ces trois variétés de quartz doivent leurs différentes colorations à la présence d'impuretés. Le jaune doré, transparent, ou jaune brun de la topaze citrine est dû à la présence de trioxyde de fer. Cette pierre tire son nom de l'agrume jaune, bien entendu. La topaze brûlée, ou topaze du Brésil, que l'on essaye parfois de faire passer pour plus précieuse ou plus authentique, est en fait une topaze devenue rose par chauffage. Trois autres variétés de quartz qui contiennent des fibres minérales, sont colorées par un oxyde de fer. La plus connue est l'œil-de-chat, pierre chatoyante et parcourue de bandes jaunes et brunes du plus bel effet. Cette pierre bleu indigo est une crocidolite silicifiée qui revêt une coloration dorée d'œil-de-tigre par absorption de silice. En l'absence d'oxyde, elle est d'un gris vert auquel elle doit son nom d'œil-de-chat. Sous un troisième aspect, où le bleu transparaît davantage que dans l'œil-de-chat, on l'appelle encore œil-de-faucon. Le prase est une gemme moins connue, qui tire son nom du grec *prasinos* - mot qui signifie "d'un vert de poireau". Cette coloration verte est due à des éclats d'actinote. Le prase n'est plus aussi recherché que dans le passé : on a longtemps cru, en raison de sa couleur verte, que c'était à partir du prase que se formait l'émeraude - ce qui, bien entendu, n'est pas vrai.

Les cristaux de citrine sont massifs, comme tous les quartz. Leur riche coloration brun-jaune constitue l'attrait de cette pierre. Celle-ci se touve cependant en abondance, ce qui lui a valu d'être négligée.

L'œil-de-chat de grande taille placé sur quatre petits œils-de-faucon d'un vert bleuté. Les faisceaux de fibres produisent un chatoiement semblable à celui de l'œil du félin.

Les œils-de-faucon ont gardé la couleur originale de l'asbeste crocidolite bleu auquel s'est substitué le quartz. La plupart des œils-de-chat et leurs variantes viennent du Sri Lanka, mais on en trouve également des gisements en Afrique du Sud.

Même à l'état brut, l'œil-de-chat est une roche de toute beauté. Ses flancs évoquent les strates des roches sédimentaires.

LE SAVIEZ-VOUS ?

❏ En Afrique du Sud, dans la province du Cap, l'oeil-de chat et l'oeil-de-faucon se rencontrent en gisements d'une trentaine de centimètres d'épaisseur pris entre des couches de minerai de fer. Une fois taillées et polies, ces pierres ont une surface qui à l'aspect de la soie.

❏ On dit de certaines variétés de quartz qu'elles sont cryptocristallines, ce qui signifie qu'elles renferment des myriades de cristaux microscopiques, au lieu d'être parfaitement claires. C'est le cas du prase.

❏ A l'état naturel, la crocidolite (ci-dessous) est une roche fibreuse qu'on appelle également asbeste bleue. C'est un excellent isolant électrique, qui résiste en outre très bien à la chaleur et aux effets de la corrosion. On s'en servait fréquemment comme isolant, jusqu'au jour où l'on découvrit qu'il s'agissait d'une dangereuse substance cancérigène. Elle fait partie des amphiboles (mot grec qui signifie "à double pointe" et "ambigu"), qui regroupent les roches longtemps jugées inclassables.

Vers 1920, un style nouveau fit son apparition en joaillerie, destiné à supplanter les styles lourds et surchargés de la fin du XIXe siècle. Cet assortiment, composé d'une broche et d'un collier de citrine et de péridot (olivine vert tendre), dans le style "Arts and Crafts" ("arts et métiers"), est attribué à Sybil Dunlop, dont les créations en joaillerie s'étalèrent surtout de 1915 à 1930.

La pourpre splendeur de l'améthyste

L'améthyste est une autre variété de quartz. Cette pierre, qui appartient donc au groupe des oxydes, se rencontre sous forme de cristaux incolores, ou colorés selon toute une gamme de tons splendides allant du pourpre au violet, et dus à la présence de titane ou de fer. La couleur de certaines améthystes peut également être l'effet de la radioactivité. Cette pierre est en général d'un prix relativement abordable car elle se trouve dans la nature en abondance, et elle est beaucoup utilisée en joaillerie depuis des millénaires.

Les plus belles améthystes, d'un pourpre intense, viennent de nos jours de Sibérie ou d'Afrique, mais on en trouvera toujours également, même s'il est difficile de savoir en quelle quantité au juste, en provenance d'Uruguay, du Brésil ou d'Inde. Elles commencent par voyager jusqu'en Extrême-Orient où elles deviennent "zambiennes" avant d'être commercialisées. Dans les mines du Brésil, les gisements les plus productifs sont ceux où les roches volcaniques contiennent des géodes. Celles-ci n'étaient à l'origine que des bulles de gaz emprisonnées dans la lave, qui formèrent ensuite des cavités à l'intérieur des roches qui refroidissaient lentement. Les gaz renfermaient des minéraux qui, les uns après les autres, chacun selon sa composition chimique, se condensèrent pour former des cristaux à l'intérieur de leurs cavités. C'est ainsi que se formèrent ces concrétions bien circonscrites que l'on appelle géodes.

Lorsqu'on ouvre ces géodes, qui peuvent être de bonne dimension, on obtient deux moitiés, qui se vendent séparément : l'intérieur, tapissé de cristaux, présente un intérêt pour le géologue et peut avoir une certaine valeur ornementale, mais n'en a guère pour le joaillier, car les petits cristaux agglomérés contiennent souvent des défauts. Autre inconvénient non négligeable : la poussière a tendance à s'accumuler dans les minuscules interstices qui séparent les cristaux, et il n'est pas commode de l'en déloger. C'est au Brésil, dans le Rio Grande do Sul, que fut extraite la plus grande géode jamais découverte. Elle mesurait 10 mètres de long, 5 mètres de large, pesait 7 tonnes, et contenait une quantité impressionnante de cristaux d'améthyste de la plus grande finesse.

Imitant les bijoux de l'Egypte antique, ce pendentif sur lequel sont montées des améthystes reflète la naissance du style Art déco en 1925.

Le mouvement Art déco manifesta un vif intérêt pour les bijoux de l'Egypte antique, à une époque où les fouilles menées à la fin du XIXe siècle et au début du XXe venaient de révéler une quantité d'objets magnifiquement ouvragés, en or ou en pierres précieuses.

Elégante grappe de cristaux d'améthyste de Mexique. On en trouve de toute une gamme de couleurs, les plus sombres étant les plus recherchées. La taille des cristaux varie considérablement : il en existe de tout petits, mais on en trouvé un qui pesait 23 kilogrammes.

Les géodes tapissées d'améthystes sont assez répandues. La plupart du temps, les cristaux sont de petite taille et de piètre qualité. Cette géode du Brésil fait exception.

LE SAVIEZ-VOUS ?

❑ On a longtemps mis en valeur les belles pierres en plaçant tout autour un cercle de petites perles. Ci-dessus également, une améthyste sertie dans une monture d'argent, et deux cristaux taillés. Celui du bas est une pierre sombre, l'autre est plus pâle et plus délicat.

❑ Les Grecs de l'Antiquité pensaient que l'améthyste préservait de l'ivresse quand on la portait autour du cou. Le mot grec *amethystos* signifie précisément "qui n'est pas ivre".

❑ Si l'on chauffe une améthyste à 470°C, elle perd sa belle couleur violette et devient jaune. Si on la chauffe encore davantage, l'améthyste devient d'un blanc laiteux.

❑ L'améthyste est une variété de quartz, et ses cristaux sont des prismes à six faces. Il arrive que les cristaux de quartz soient jumeaux, soudés par deux selon des angles variés. La manière dont ils sont unis peut fournir de précieuses indications sur la nature exacte de la roche.

Le charme de la calcédoine

La calcédoine est une pierre aux cristaux de toute petite dimension, le plus souvent blancs ou gris - ce qui lui donne un air de fruit décoloré par le gel - et qui contient de minuscules fibres de quartz. Parfois associée à des opales, la calcédoine est également très proche de l'agate, qui en est une variété finement zonée et recherchée pour cette raison. Contenant le plus souvent des silicates, cette roche est donc composée de silice cristallisée, et donne d'autres variétés du groupe des oxydes, comme le silex et le jaspe. La calcédoine peut avoir deux origines, ou bien du gaz emprisonné dans de la lave, ou bien un liquide contenant de la silice, et elle a donné naissance à d'autres roches encore : la cornaline (rouge ou rouge brun), la sardoine (orangée ou brunâtre) et la chrysoprase (de couleur vert pomme). Le rouge de la cornaline est dû à la présence d'oxydes de fer. Mieux connue que la calcédoine, c'est une pierre dont on fait des bagues et des pendentifs à prix abordable. Il y a quelques millénaires déjà, cette pierre était connue au Moyen-Orient; de nos jours, les plus belles cornalines viennent d'Inde ou du Brésil, et parfois d'Europe de l'Est. Les plus anciens bijoux de calcédoine rubanée furent découverts par des archéologues travaillant sur des sites égyptiens. En 1912, à Londres, fut mis au jour un trésor de joaillerie qui contenait deux cents belles pièces de collection, dont on pense qu'il s'agit du fonds de commerce d'un joaillier du XVIIe siècle, parmi lesquelles une "pomme d'ambre", destinée à renfermer parfums et épices. Ce petit récipient en or, serti de calcédoines, de rubis, de diamants et de topazes, devait se porter autour du cou ou se tenir à la main, et on en humait de temps à autre le parfum, pour se prémunir contre les remugles qui montaient des rues dépourvues d'égouts : l'idée serait sans doute à reprendre de nos jours, où la pollution urbaine dépasse probablement de beaucoup les puanteurs d'antan.

Ce portrait classique est sculpté dans de la chrysoprase, variété de calcédoine d'un vert pomme. Les pierres fines se sculptent ainsi depuis l'Antiquité (en Egypte, en Grèce, à Rome). De nos jours encore, on continue à sculpter des émaux et des intailles.

Cette coupe polie de calcédoine montre l'étonnante structure rayonnante des cristaux. La calcédoine était très appréciée des joailliers de l'Antiquité, et son nom vient du grec *Khalkedon* (Chalcédoine), nom d'une ville de l'actuelle Turquie.

Les galets de cornaline sont le plus souvent rouges, mais on en trouve également de couleur jaune sable.

Galet de cornaline trouvé sur une plage d'Europe.

Cornaline brute, qui trouvera tout son éclat une fois polie.

Ce spécimen de chrysoprase australienne contient des teintes turquoise en plus de l'habituel vert pomme. Son apparence glacée et déchiquetée, sa couleur d'ensemble classent ce caillou dans le groupe des pierres siliceuses, et des calcédoines.

LE SAVIEZ-VOUS ?

❏ La calcédoine demande un examen microscopique pour révéler sa structure et sa véritable identité. Les joailliers se contentent de nommer calcédoine les pierres bleues ou gris bleuté.

❏ Il se vend de fausses calcédoines qui ne sont en réalité que des agates colorées artificiellment. La supercherie se traduit (en général) par des prix plus bas que le cours normal.

❏ La chrysoprase s'est extraite autrefois de mines situées non loin des lieux hantés par un monstre célèbre, celui de Frankenstein.

❏ Toutes les variétés de calcédoine ont beau être de couleurs différentes, leur composition chimique n'en est pas moins strictement la même. D'où proviennent donc ces différentes colorations? Il semble qu'elles soient dues à des différences de structure apparaissant dans les fibres comprimées entre elles, et qui auraient pour effet optique de produire des rouges, des bruns et des verts et des bleus.

❏ Pour le minéralogiste, la calcédoine couvre une gamme de couleurs allant du blanc au gris noir, en passant par le rouge brun. La chrysoprase, qui en est une variante, est décrite comme étant de couleur vert pomme: le beau collier de chrysoprase d'Australie que l'on voit ci-dessous, de teinte vert bleuté, s'écarte donc de la norme.

Le jaspe, la sanguine et le plasme

Intaille de jaspe rouge représentant le Romain Vernostonus Cocidius posant en Silvanus, divinité rurale. Cette intaille fut trouvée à proximité du mur d'Hadrien, en Grande-Bretagne, et fut sculptée entre le IIe et le IVe siècle de notre ère.

Le jaspe, variété de calcédoine siliceuse, est une pierre opaque composée de minuscules grains de quartz agrégés. Le plus souvent brun-rouge, le jaspe peut être également gris-bleu, vert et jaune, ou noir. Très répandue, cette pierre se trouve associée à d'autres minéraux, comme l'agate et la calcédoine. Sa formation s'est produite de deux façons : ou bien par condensation de solutions liquides comprimées entre d'autres roches, ou bien sous l'effet de laves brûlantes agissant sur des roches sédimentaires contenant les composantes minérales du jaspe. Cette pierre est connue et appréciée depuis toujours, et c'est peut-être la première de toutes à avoir été sculptée en relief ou gravée en creux. En relief, on obtient des formes qui ressortent bien sur leur fond - on appelle camées ces pierres fines taillées en relief lorsque le sujet et le fond sont de couleurs différentes, par opposition aux intailles, dont le sujet est gravé en creux. Le jaspe est mentionné dans l'Ancien Testament où, selon Grégoire le Grand (VIe siècle de notre ère), la plaque pectorale d'Aaron, premier grand prêtre des Hébreux, était ornée de jaspes, d'onyx, de chrysolites, de topazes, de béryl, de saphirs, d'escarboucles et d'émeraudes. Toutes les grandes civilisations du monde antique (Egypte, Grèce, Rome) eurent tour à tour beaucoup de considération pour cette gemme. La sanguine (que l'on appelle parfois héliotrope) et le plasme sont deux variétés de calcédoine tachetée. La première est en général bleu-vert et jaspée de veines rouges, tandis que le plasme (dont le nom en grec signifie "chose façonnée") est blanc et tacheté de vert par la présence de chlorites.

Oeuf brun rouge de jaspe tacheté. Le jaspe, autre variété de calcédoine, fut très recherché dans l'Antiquité - on en trouvait en abondance dans le désert d'Egypte. Cette pierre est restée un classique au rayon des presse-papier et autres bibelots.

❑ A la différence de certaines autres pierres, les couleurs du jaspe - pierre opaque et souvent brillante, comme le jaspe rubané que l'on voit ci-dessus - ne s'altèrent ni à la chaleur, ni à la lumière.

❑ L'ancien palais d'hiver des tsars de Russie, devenu aujourd'hui le célèbre musée de l'Ermitage de Saint-Pétersbourg, est un haut lieu du patrimoine mondial, qui renferme une extraordinaire collection de jaspes taillés, dont la plupart proviennent des monts de l'Oural.

❑ Rodolphe II de Bohème possédait une table ornée de jaspes multicolores qui, écrit son médecin personnel dans sa *Gemmarum et Lapidum Historica* (une histoire de l'art lapidaire), était l'une des sept merveilles du monde de la Renaissance (XIVe s. au XVIe s.).

❑ Le jaspe est l'une des gemmes dont le nom figure depuis le plus longtemps dans l'histoire. Dans la Bible, il en est question en hébreu sous le nom de "yashpeh", et 1500 ans av. J.-C., les Assyriens le nommaient "yashpu".

Grenouille pleine de vigueur sculptée dans une agate dont la formation s'est produite à proximité de sanguine.

Ce morceau brut de jaspe, d'une seule et unique couleur, fait exception, car lorsqu'il se trouve à l'état liquide, dans les anfractuosités des roches ignées, le jaspe se trouve en général associé à des agates et à d'autres calcédoines.

L'agate et l'onyx

L'agate est une variété de calcédoine opaque et colorée connue depuis des millénaires. Très recherchées encore au premier millénaire de notre ère, les agates rondes et polies l'étaient déjà par les peuplades primitives, qui leur attribuaient le pouvoir de conjurer le mal et d'attirer la bonne fortune. Cette pierre tient son nom d'une rivière de Sicile autrefois appelée l'Achates, où les premiers Romains trouvaient et gardaient les galets polis par les flots. Comme beaucoup d'autres minéraux, les agates sont à l'origine des solutions minérales liquides ayant pris la place de gaz emprisonnés dans la lave une fois que ceux-ci se furent échappés. En se solidifiant, la roche ainsi formée, beaucoup plus dure que la roche volcanique qui l'entoure, résiste mieux à l'érosion constante, qui finit par dégager et mettre au jour les géodes qui la contiennent. Il arrive parfois que des géodes contenant des agates se découvrent au pied d'une montagne, parmi les débris rocheux. Les boutiques de minéraux et fossiles proposent toujours à la vente des géodes ouvertes et polies qui contiennent des couches, disposées de façon ravissante, d'agates aux multiples teintes nuancées et contrastées : certaines finement zonées, d'autres renfermant des cristaux de quartz, selon les impuretés minérales contenues dans la solution liquide au moment où celle-ci s'est condensée et cristallisée dans la lave brûlante.

Bon nombre de ces géodes proviennent du Brésil, où se trouvent de nombreux volcans, éteints ou en activité. L'onyx est une variété d'agate qui présente des bandes concentriques noires et blanches, et dont le nom vient du grec *onyx*. Ce mot qui signifie "ongle" reflète bien la structure de la pierre, en couches translucides. La sardoine est une agate contenant des bandes d'opale, de quartz ou de calcédoine, aux teintes orange, brunes et blanches. Son nom signifie, selon les sources, "onyx de Sardaigne", ou "onyx de Sardes", cité d'Asie Mineure jadis célèbre pour ses richesses, où l'agate fut commercialisée pendant des siècles.

Coupe d'une géode dans laquelle on voit au moins deux stades de sa formation, et qui montre comment le liquide s'est solidifié étape par étape, en épousant la forme de l'anfractuosité du rocher à l'intérieur de laquelle coulait la roche en fusion.

Une géode que l'on a sciée et polie pour en montrer l'architecture. Elle est tapissée d'agates sombres, presque noires et, plus à l'intérieur, presque incolores, on voit des cristaux de quartz.

Collection d'agates polies utilisées comme cabochons dans la petite bijouterie. Cette pierre est très dure et, à moins d'être rayée par une autre roche plus dure encore, elle conserve toujours son éclat.

❏ Certaines agates d'Amérique du Nord sont appelées "oeufs du tonnerre": Les Indiens Pueblos les utilisaient au cours de cérémonies pour invoquer le tonnerre.

❏ L'agate est mentionnée pour la première fois en l'an 300 av. J.-C., dans les écrits du philosophe grec Théophraste.

❏ Selon les motifs que forment leurs diverses colorations, les agates reçoivent des noms très imagés : on parle d'oeillade, d'agate rubanée, d'agate mouchetée, de "corail", ou d'agate étoilée.

❏ Les motifs de petites feuilles qui apparaissent à la surface de l'agate moussue (qui est davantage une variété de calcédoine qu'une agate, à proprement parler), ont souvent été pris à tort pour des plantes fossilisées. Ce n'est certes pas le cas, car les petites ramifications sont dues à des oxides de fer et de manganèse qui se répandent ainsi lors de la formation de la roche. Le "paysage" que l'on voit ci-dessous n'est pas une vue aérienne prise du haut d'un satellite, il s'agit tout bonnement d'une agate polie sur laquelle apparaissent ces motifs qui ressemblent tant à de la mousse.

Grossissement de l'intérieur d'une géode, qui permet de mieux voir toute une variété de roches. En forme de bulle, l'agate orange qui se trouve en bas à droite est plus finement zonée, tandis qu'en haut à gauche, on reconnaît le noir et blanc de l'onyx.

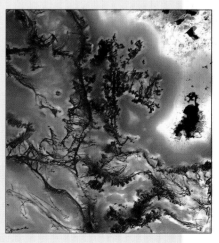

Les silex, outils et armes de l'âge de pierre

Le silex est une combinaison de quartz et de calcédoine. Cette roche qui nous est familière sous forme de nodules irréguliers ou de rognons arrondis se rencontre souvent au pied des falaises de craie : la plupart des galets de nos plages sont des silex. A l'origine, ils faisaient tous partie de l'immense couche calcaire du crétacé, qui représente une grande partie des roches sédimentaires de notre globe. Comme d'autres variétés de quartz, le silex, de teinte laiteuse, brune ou noire, est translucide en raison d'impuretés et de bulles microscopiques qu'il contient. L'étrange forme de la plupart des nodules de silex semble suggérer qu'il s'agissait à l'origine d'organismes enrobés de silice et de quartz, qui seraient lentement descendus au fond des mers où, sous la pression des matériaux accumulés, ils auraient finalement formé de la craie. D'autres silex seraient dûs à la formation, dans des couches calcaires, de colloïdes siliceux acides. Certains géologues affirment que la craie contenait des particules de silex, qui se sont agglomérées naturellement selon les formes que nous leur connaissons actuellement. Les galets de silex sont recouverts d'une croûte dure d'un blanc jaunâtre, due à l'action abrasive du silex contre la craie. Certains nodules contiennent des fossiles bien conservés, qui apparaissent lorsque le silex se brise. La surface brisée est en général lisse et dessine d'élégantes courbes conchoïdales. Bien avant l'utilisation des métaux, le silex était connu de nos ancêtres de l'âge de pierre, qui découvrirent qu'en le frappant au bon endroit et selon un certain angle, on obtenait des éclats dont le tranchant, très efficace, était idéal pour dépecer les animaux qu'ils chassaient. C'est ainsi que le silex fut utilisé pour fabriquer également des pointes de flèches, des couteaux, des têtes de haches, et même des marteaux et des scies. La pierre était ajustée à des manches de bois, et retenue par des tendons d'animaux ou des lianes tressées.

Cette hache est l'un des premiers outils utilisés par l'homme. Elle fut taillée dans un silex il y a quelque 200 000 ans.

Les falaises de Douvres s'élèvent à centmètres au-dessus de la mer. Les couches de craie alternent à intervalles réguliers avec de fines couches de silex.

LE SAVIEZ-VOUS ?

❏ Il se peut que l'homme ait découvert comment faire du feu en frappant des silex l'un contre l'autre, et en produisant ainsi des étincelles qui mirent le feu à des morceaux de bois sec. L'homme savait déjà que la foudre pouvait enflammer les plantes, mais il attribuait sans doute ce pouvoir à une force divine.

❏ Avant l'invention du percuteur, on mettait le feu aux poudres en frappant un morceau de pyrite de fer. Au XVIe siècle, on découvrit en Espagne qu'un morceau de silex durait plus longtemps et produisait une meilleure étincelle.

Rognon de silex libéré de sa gangue de craie. Les faces à vif montrent bien le contraste entre le revêtement poudreux et la roche dense et translucide qui se trouve à l'intérieur. Les rognons de silex contiennent souvent des fossiles marins du Crétacé (65 à 136 millions d'années).

❏ La "pierre de corne", ou silex corné, ressemble beaucoup au silex, mais se casse en donnant des faces plus droites et moins effilées que le silex. Le morceau que l'on voit ci-dessus est rubané, ce qui est assez rare. Selon certains, le silex corné serait d'origine inorganique, à la différence du silex. Le silex corné, qu'on appelle aussi silex noir, peut former des nodules, mais ce terme s'applique habituellement à certaines calcédoines massives qui forment des gisements.

La mer érode régulièrement les falaises et la craie cède pas à pas : les rognons de silex aux formes irrégulières tombent alors et jonchent le pied des falaises.

Le coeur du silex est la partie du milieu, qui reste une fois qu'ont été taillés les outils tels que couteaux, grattoirs ou marteaux. On en trouve sur les sites archéologiques, à côté des outils qui en ont été détachés.

L'opale

Les opales, constituées d'atomes de silicium et d'oxygène assez peu solidement reliés entre eux, sont connues pour être cassantes sous l'effet de la chaleur ou d'un choc. Elles se rayent facilement et se fêlent en cas de chute. Les joailliers et les lapidaires devaient, au Moyen Age, dédommager le client dont une opale se brisait ou se fêlait accidentellement : pour cette raison, ils n'aimaient guère cette pierre. L'opale présente également des inconvénients dans la vie quotidienne, et l'on aura tout intérêt à ne pas en porter pour faire la vaisselle ou la cuisine, car elle absorbe les impuretés de l'eau et subit des altérations à la chaleur. La simple chaleur de la peau, d'ailleurs, peut modifier la coloration d'une opale. Il est donc recommandé de porter cette pierre sertie dans une monture de métal, et de ne pas la percer pour en faire un collier ou un bracelet. En dépit de sa fragilité, cette pierre fut appelée *upala* en sanscrit, ce qui signifie "pierre précieuse", ou "gemme".

L'opale est une variété de silice hydratée, qui contient donc une petite proportion d'eau (on la décrit parfois comme une "gelée solidifiée"). Il en existe plusieurs sortes: l'opale noble et l'opale miellée, d'abord, qu'il est en général impossible de tailler à facettes : elles sont donc polies et lissées. Il est également exclu de les laver. L'opale de feu, ensuite, qui lance des éclats rouges et jaunes lorsqu'on la tourne, et qui peut, elle, être taillée et facettée. Quant à l'opale commune (ou semi-opale), elle se rencontre en fines couches à l'intérieur de gisements de grès. Une fois polie, cette dernière est souvent associée à d'autres pierres.

L'opale comptait parmi les pierres les plus rares avant que l'on en découvre de grandes quantités, en 1877, dans les grès australiens. Auparavant, on la faisait venir de Turquie et de Tchécoslovaquie. Au Mexique, on a extrait des opales de feu pesant jusqu'à 50 carats (un carat est une unité qui équivaut à deux décigrammes).

Opales blanches polies selon des formes variées. La texture tendre de l'opale et sa surface lisse se prêtent bien à ce genre de travail. La plupart des variétés d'opales, d'ailleurs, ne se taillent pas ni ne se facettent comme les pierres plus dures.

L'opale noire est très recherchée, en raison du contraste que forment sur le noir de la pierre les taches couleur de feu.

❏ Les Grecs voyaient dans l'opale une certaine ressemblance avec un oeil, et lui donnèrent un nom d'où vient notre terme d'ophtalmologie, qui désigne l'étude de l'oeil. Elle était également portée par les voleurs et les brigands, qui espéraient être ainsi prévenus du danger.

❏ L'opale xyloïde (du grec *xylon*, qui signifie "bois") que l'on voit ci-dessus ressemble en tous points à un tronçon de branche. Toutes les caractéristiques du bois, des anneaux de croissance à l'écorce, ont été reproduites par la roche tandis qu'elle prenait la place des cellules végétales de l'arbre, une à une. Ce spécimen fossilisé vient des Etats-Unis, dans la forêt pétrifiée de Virgin Valley.

❏ Un prospecteur qui parcourait l'Australie vers 1870 ramassa une pierre qui pesait 16 kilogrammes et dont il découvrit qu'il s'agissait d'une opale noire. La valeur de cette pierre fut estimée à l'équivalent de plus de vingt millions de francs français.

❏ L'une des héroïnes de Walter Scott (Hermione, dans *Anne de Geierstein*), portait sur le front une opale magique.Lorsque la pierre fut aspergée d'eau bénite, la malheureuse héroïne fut réduite en cendres.

❏ On se sert d'un chiffon doux légèrement huilé pour nettoyer une opale, puis on la lustre.

Opale brute du Nevada (Virgin Valley). Comme ceux du Mexique, ce gisement ne donne pas des opales de très belle qualité. Celle que l'on voit ici ressemble à l'intérieur d'une coquille d'huître et semble tapissée de nacre. Les défauts qu'elle contient permettent de prévoir que celle-ci ne donnera pas une grande pierre.

Opale noire brute. Celle-ci contient les caractéristiques les plus recherchées et a des chances d'être travaillée pour faire un pendentif. Telle qu'elle a été trouvée, cette opale a été estimée à 200 000 dollars (un million de francs français).

Le béryl, la topaze et le mica

Les silicates constituent le groupe des minéraux le plus vaste, depuis l'asbeste, que l'on n'utilise plus de nos jours, jusqu'au mica, en passant par le glorieux béryl et ses variétés naturellement colorées, l'émeraude, l'aigue-marine, et le chrysobéril. Ces derniers, très prisés en joaillerie, font un peu d'ombre à leur parent le béryl, qui est un silicate naturel d'aluminium et de béryllium. Le béryllium est un métal dur et léger qui entre dans la composition d'alliages de cuivre, et s'utilise dans l'aéronautique et les réacteurs nucléaires. Les plus beaux béryls viennent du Brésil, de Madagascar, de l'Oural, de la Nouvelle-Angleterre et de Californie. Mais quand on songe à la taille que peuvent atteindre ses cristaux - on en a trouvé un de 5,40 mètres de long et pesant plus de 18 tonnes... on ne peut s'empêcher de penser qu'un collier de béryl n'est pas facile à porter!

La topaze, dont le nom vient d'une île de la mer Rouge, Topazos (rebaptisée depuis Zebirget), est une pierre fine, pâle ou jaune le plus souvent et transparente, mais qui peut être également bleu clair, rosée, rouge foncé ou incolore. Cette pierre était à l'origine de grande valeur, mais lorsqu'on en découvrit de vastes gisements en Amérique du Sud, son marché s'effondra. De nos jours, la plupart des topazes bleues qui se vendent à prix d'or sont colorées artificiellement, par bombardement de pierres quelconques dans des réacteurs à neutrons. Les pierres ainsi colorées sont radioactives, et doivent théoriquement subir une quarantaine, de trois mois à un an selon les législations.

Il fut un temps où l'on avait tendance à appeler topaze toutes les pierres précieuses ou semi-précieuses jaunes. La topaze véritable a une riche coloration brun jaune. Les pierres que l'on voit ici sont des topazes citrines.

Le mica constitue les petites taches noires du granit. Sa structure feuilletée permet d'en séparer des plaques très fines et lisses, relativement transparentes et résistantes à la chaleur. C'est pour cette raison que les fenêtres des poêles à bois ou à charbon sont fabriquées en mica.

Cristal de topaze sur son lit de quartz. La topaze est un silicate de fluor et d'aluminium qui peut être incolore, jaune, brun rouge (comme ici), rose, vert ou brun. La topaze la plus recherchée est la topaze bleue.

Variété de béryl doré et transparent appelée héliodore. Les autres variétés sont l'émeraude (verte), l'aigue-marine (bleu-vert) et la morganite (rose).

Surface caractéristique du mica. Cette roche se rencontre en général en feuilles translucides, très rarement sous forme de cristaux.

L'émeraude et l'aigue-marine

L'émeraude est une variété de béryl dont le vert caractéristique est dû à la présence de chrome. Cette pierre précieuse présente l'inconvénient majeur d'être rarement sans défaut, en raison d'irrégularités de sa structure atomique qui transparaissent à la surface. De nos jours, la plus belle qualité d'émeraude s'extrait dans les veines de calcite des mines de Colombie, exactement comme aux temps des peuples Minzo, avant que les Espagnols n'envahissent leurs terres, en 1537. Quelque 3500 ans avant les Amérindiens, cependant, on extrayait déjà l'émeraude dans l'Egypte pharaonique. Une autre variété de béryl, d'un bleu vert et que l'on appelle pour cette raison aigue-marine (*aiga marina*) signifie "eau de mer" en provençal), peut donner des cristaux de dimensions impressionnantes, bien que plus petits que le béryl décrit à la page 68. C'est ainsi qu'une aigue-marine contenant du fer et pesant plus de 90 kilogrammes fut envoyée du Brésil à un lapidaire allemand, qui en tira des gemmes pour un total de 200 000 carats. Un artisan du XXe siècle, Andrew Grima, né en 1921, fut l'un des premiers à tailler des pierres précieuses selon des formes originales. Il a notamment construit des montres en or à monture de pivot d'horlogerie en aigue-marine. Ses réalisations et ses innovations sont d'une perfection telle, qu'elles trouvent leur place aux côtés des créations de Fabergé, et même de Cellini, deux des artisans joailliers les plus réputés.

Aigue-marine sertie dans de l'or. Au XIXe siècle, ces broches, très répandues, reproduisaient des bijoux de l'époque byzantine.

Le rouge du rubis et le beau vert émeraude sont tous deux dus à la présence du même élément: l'oxyde de chrome.

Ce cristal d'aigue-marine se trouve dans la gangue de quartz où il s'est formé. Sa colonne hexagonale est malheureusement brisée. Au Brésil, on a baptisé "navire" un groupe d'aigues-marines du Minas Gerais, en raison de la disposition des cristaux.

LE SAVIEZ-VOUS ?

❏ La légende raconte que Montezuma, l'empereur aztèque du début du XVIe siècle, possédait une émeraude de la taille d'un oeuf d'autruche, et qui pesait 1 kilogramme.

❏ Dans la Rome antique, l'émeraude était la pierre de la déesse Vénus; les femmes sur le point d'accoucher en portaient une dans l'espoir qu'elle les soulagerait des douleurs de l'enfantement.

❏ Les Egyptiens de l'Antiquité imitaient l'émeraude avec du verre coloré. A notre époque, le verre est une substance tellement répandue qu'elle a peu de valeur, à de rares exceptions près. Mais dans l'Antiquité, le verre richement coloré possédait l'attrait d'une pierre précieuse: il était sans doute tout aussi rare.

❏ Les émeraudes (ci-dessous) de grande taille et sans défaut sont rares, ce qui explique leur valeur. Une émeraude de 632 carats (126,4 g) fut baptisée "Patricus", d'après le saint patron de l'Irlande (l'Ile d'Emeraude). Assez curieusement, alors que les "mines d'émeraude" de Cléopâtre, découvertes au XIXe siècle, sont ouvertes aux visiteurs, les trésors royaux d'Egypte, à notre connaissance, ne contiennent pas la moindre émeraude.

La magnifique émeraude qui se trouve au centre de ce bracelet pèse 76 carats et porte gravé un verset du Coran. De part et d'autre, on voit des onyx, des saphirs et des émeraudes sur lesquels ont été gravées des feuilles.

Emeraude brute de Colombie. On voit les hexagones caractéristiques de la famille du béryl.

La tourmaline

Au Sri Lanka, mine de pierres précieuses de Pelmadulla : simple trou creusé par l'homme jusqu'à ce qu'il rencontre un gisement contenant des pierres. La terre est remontée à la surface panier par panier.

Sous les champs de riz et les plantations de thé de l'île de Sri Lanka, se trouve une vaste étendue de gravier qui contient des pierres précieuses parmi les plus belles du monde, au nombre desquelles des tourmalines. Cette pierre est un silicate et un borate naturel d'aluminium, qui contient de petites quantités de magnésium, de fer, de sodium, de potassium, de chrome et de lithium. Sa structure extrêmement complexe rend l'analyse difficile. La tourmaline, dont le nom vient de son appellation cingalaise de *totomall*i, est une gemme très recherchée, bien qu'elle n'ait ni l'éclat de l'émeraude, ni le feu de l'opale. Elle se forme lorsque de l'eau contenant du bore en solutions s'infiltre dans du granit, roche ignée composée de schiste, de feldspath et de quartz; elle se rencontre également dans des formations métamorphiques et sédimentaires. La gamme des colorations de la tourmaline est l'une des plus étendues qui existe, du rose au noir en passant par le jaune, le vert, le bleu et le brun. Cette pierre se rencontre également à Madagascar, au Brésil, au Mexique et aux Etats-Unis. Certains cristaux de Californie sont de forme parfaite à l'état naturel, tandis qu'au Mexique, dans les gisements de tungstène, les cristaux de tourmaline sont souvent d'un beau noir brillant. Rares sont les pierres précieuses de plusieurs couleurs, mais il arrive fréquemment que la tourmaline soit, par exemple, rose à une extrémité et verte à l'autre. La différence de couleurs correspond à une différence de formation.

Cristal de tourmaline rose, de la variété appelée rubellite. Les lignes légères qui strient cette pierre dans le sens de la longueur sont caractéristiques.

Toutes ces gemmes facettées sont des tourmalines. On les nomme parfois différemment selon leur couleur: verdellite (verte), rubellite (rouge), achroïte (incolore), indicolite (bleue), dravite (brune). On comprend l'étonnement des minéralogistes lorsqu'ils découvrirent que tant de teintes différentes correspondaient à une même pierre.

Cristal brut de tourmaline verte (verdellite). Certains cristaux changent de coloration à leur extrémité.

❑ Les élégants cristaux triangulaires de tourmaline verte que l'on voit ci-dessus, sont enchâssés dans du quartz. Ils viennent du Mozambique, où les spécimens de tourmaline vertes et riches en couleurs sont appelées tourmalines "chromées".

❑ Un cristal de tourmaline que l'on tient dans la lumière et que l'on fait tourner, renvoie des couleurs différentes. Les joailliers sont obligés d'en tenir compte lorsqu'ils montent une de ces pierres.

❑ La tourmaline est une pierre précieuse relativement récente, si l'on peut dire : on ne la connaît que depuis le XVIIIe siècle. Comme l'opale, elle correspond au mois d'octobre.

❑ La tourmaline est un silicate et un borate naturel d'aluminium, et elle attire de petits morceaux de papier lorsqu'on la frotte ou qu'on la chauffe. Cette propriété est due à la structure atomique très complexe de cette roche. Lorsqu'elle est chauffée, l'une de ses extrémités reçoit une charge positive, tandis que l'autre devient négative: ce phénomène est désigné sous le nom de pyroélectricité.

le feldspath

Le feldspath n'est pas seulement un minéral qui se distingue parmi les silicates en cela qu'il s'agit d'un silicate double d'aluminium et d'un autre métal alcalin; il constitue en outre un vaste groupe de minéraux complexes, de deux espèces différentes selon qu'ils contiennent de la potasse ou de la soude. Il se rencontre dans tous les granits et dans la plupart des roches ignées. On en trouve aussi sur la Lune, apporté par des météorites qui volent en éclats au moment où ils entrent en collision avec la surface du satellite. Sur notre planète, les cristaux de feldspath se rencontrent dans les cavités du granit, et il arrive fréquemment qu'ils prennent la place du quartz dans le basalte et d'autres roches ignées. Lorsque le feldspath est un carbonate de potassium, il apparaît entre autre sous forme orthoclase - du grec *orthos*, qui signifie "droit", et *klasis*, "fracture" - terme qui décrit la manière dont le cristal se fend. Il arrive parfois que, lorsque deux cristaux orthoclases se trouvent en contact l'un avec l'autre, leurs faces communes se soudent ou s'interpénètrent. On appelle le cristal double ainsi formé "macle de Carlsbad", d'après le nom allemand de Karlovy Vary, ville de Bohême réputée pour ses sources thermales, sa cristallerie et ses spécimens minéraux. A Madagascar, on rencontre une variété de feldspath orthoclase jaune transparent que l'on appelle adulaire, dont la variante nacrée est la pierre de lune. Lorsqu'un rayon de lumière touche le sommet arrondi d'une pierre de lune, la lueur produite s'appelle adularescence. Selon l'origine de la pierre, cette lueur sera soit blanche, soit bleue.

Ce spécimen de feldspath montre bien toute l'étendue des formes et des couleurs que peuvent revêtir ses cristaux. Les cristaux vitreux (sanidine) contiennent du potassium et se sont formés à très haute température. Quand le feldspath contient de l'hydroxyde de sodium et de l'oxyde de calcium, on le nomme plagioclase, variété qui se subdivise en albite (sodium) et anorthite (calcium).

Ces cristaux d'un vert bleuté striés de vert tendre sont une variété de feldspath appelée amazonite. On les a trouvés dans du granit rouge du Colorado.

Cette variété de feldspath s'est formée à "basse température", par opposition, bien entendu, à ceux qui se forment à des températures et à des pressions très élevées. Les angles de clivage de ces cristaux sont inférieurs à 90°. Ces cristaux sont très souvent géminés.

Variété brillante et iridescente de feldspath, appelée labradorite, car les principaux gisements se trouvent au Labrador. On en rencontre également de beaux spécimens en Norvège.

Les différentes colorations (bleus, verts, ors) sont dues à des interférences chimiques.

Les cristaux de feldspath orthoclase sont assez vastes et leurs angles arrondis.

Cette formation géminée de cristaux, que l'on appelle macle de Carlsbad, affecte les deux cristaux, qui non seulement se soudent, mais s'interpénètrent. Le cas est fréquent chez les feldspaths orthoclases.

LE SAVIEZ-VOUS ?

❑ Le feldspath se décompose en donnant plusieurs substances comme, par exemple, le potassium, nécessaire à la croissance des plantes. Lorsque les scientifiques s'en aperçurent, au XVIIIe siècle, ils lui donnèrent ce nom, dans lequel *feld* signifie "champ" en allemand. Autre produit de l'altération des feldspaths, le kaolin est une argile blanche qui entre dans la composition des pâtes céramiques et de la porcelaine. Le kaolin sert également à des usages médicinaux, comme alcalin (ou antiacide), d'une part, et, en raison de ses propriétés réfractaires, dans la composition de cataplasmes.

❑ On a décrit le cristal de feldspath comme "ayant l'apparence de l'os et la forme d'un cercueil".

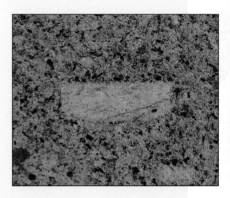

❑ La surface polie de la dalle de granit que l'on voit ci-dessus contient un grand cristal de feldspath. Les cristaux de feldspath inclus dans le granit peuvent atteindre jusqu'à 90 centimètres de long.

❑ La fusion du quartz et de cristaux d'orthose (une variété de feldspath) forme parfois des "lettres" ressemblant de façon étonnante à des caractères hébreux.

Le grenat

Le grenat est un silicate complexe qui diffère de la tourmaline en raison de l'absence de bore. Il forme deux groupes. Le premier comprend le pyrope, ou grenat magnésien, (jaune ou rouge), l'almandin (ou grenat commun, rouge brun), et la spessartine, ou spessartite (du rouge orangé au noir). L'autre groupe comprend l'uvarovite, le plus rare de tous les grenats (d'un beau vert émeraude), le grenat calcifère (vert pâle, brun ou blanc), et l'andradite (jaune ou brun noir). La coloration du grenat est si dense qu'on dirait la pierre opaque. Une pierre bâtarde, mélange de pyrope, d'almandin, de spessartine et de grenat calcifère est d'un beau rouge orangé. Le grenat se taille et se grave, en creux (intailles), ou en relief (camées), et se polit également (cabochons). Les cabochons rouge foncé s'appelaient autrefois escarboucles (le mot est apparu au XIe siècle) en raison de leur ressemblance avec des charbons ardents. Une fois broyés, les grenats font une excellente poudre abrasive (on ne broie bien entendu que ceux dont la qualité n'est pas suffisante pour une gemme). La qualité abrasive du grenat tient à ce que les cristaux, lorsqu'on les broie, se brisent en cristaux plus petits dont la forme est absolument identique à celle des grands cristaux, et qui conservent par conséquent leurs angles tranchants et pointus.

Cristaux cubiques de grenat du Mexique. Le grenat est en règle générale d'un beau rouge, mais il en existe également des variétés vertes, jaunes, brunes, noires ou même incolores. La dureté du grenat est proche de celle du diamant. Cette pierre est donc durable et lorsqu'en outre elle est élégante et de belle qualité, il lui arrive de valoir une fortune.

Le grenat était très apprécié au XIXe siècle. Les grenats de bonne dimension étaient taillés en cabochons piriformes, polis et sans facettes, que l'on appelait escarboucles et dont on faisait des colliers, des pendentifs, des boucles d'oreilles, sertis dans de l'or, comme ceux que l'on voit ici.

La couleur de ce grenat est due à la présence de fer. On l'appelle hessonite, du mot grec *hesson*, qui signifie "inférieur", car on a longtemps considéré que cette pierre était de moindre valeur que le zircon, qui lui ressemble.

Ce collier d'or et de grenat a sans doute valu bien des regards à la belle qui le portait, surtout si elle avait le cou gracieux, un grain de peau fin et une robe de bal bien assortie.

Grenat calcifère, ainsi nommé car il contient du calcium. *Ferre* signifie "porter" en latin.

L'hessonite peut être rouge brunâtre, comme celle que l'on voit ici, ou jaune. Cette pierre est une cousine du grenat calcifère, qui est un silicate complexe contenant du calcium et de l'aluminium.

L'olivine, le péridot et la serpentine

L'olivine (dont le nom indique la couleur vert olive), est une variété de péridot (qui, lui, est de couleur vert clair), autre silicate, de magnésium et de fer. Cette pierre semi-précieuse est connue et utilisée depuis l'Antiquité, malgré une certaine confusion à propos de son nom. Les Romains extrayaient en effet l'olivine de Topazos, île de la mer Rouge aujourd'hui appelée Zebirget ou Saint-Jean, et l'on prit donc cette pierre (non sans raison, on le comprend) pour de la topaze. Mais ce n'en était pas. L'olivine fut ensuite découverte en Egypte et en Extrême-Orient, et on lui donna un autre nom, celui de péridot, la décrivant comme une gemme originale. Péridot et olivine se rencontrent dans des roches ignées, comme le basalte et le gabbro. Ces pierres, dont la couleur varie du vert au brun, sont relativement tendres. Dans la mer Rouge, où la dérive des continents ouvre des failles, les minéraux continuent de monter à la surface, et l'eau de mer, en les refroidissant, provoque la formation de roches nouvelles, parmi lesquelles du péridot de toute beauté. La proportion de magnésium et de fer est variable; certaines variétés de péridot sont des silicates de fer contenant des quantités de magnésium minuscules, voire même nulles, tandis que d'autres variétés sont des silicates de magnésium qui ne contiennent pas de fer. Ces dernières se retrouvent dans les laves du Vésuve et dans la composition des météorites. La chaleur, l'eau et les intempéries altèrent l'olivine. La serpentine en est précisément une variante résultant de ces altérations. Cette pierre se rencontre, elle aussi, sous différentes formes.

Ce silicate de magnésium assez terne, que l'on appelle serpentine, et qui ressemble à de la cire, renferme une certaine quantité d'eau.

Cette variété massive de serpentine est également appelée "marbre du Connemara", car elle se trouve en abondance dans cette région d'Irlande. On la rencontre aussi dans le sud-ouest de l'Angleterre, en Cornouailles.

Selon certains minéralogistes, la serpentine se forme sous l'effet de la pression dans les roches riches en olivine. L'asbeste en est une variété fibreuse (voir page 69).

(voir page 69)

LE SAVIEZ-VOUS ?

❑ Le péridot (ci-dessus), qui ressemble au granit, est un silicate de magnésium et de fer : l'olivine est une variété verte de péridot. La kimberlite, qui donne l'essentiel de la production mondiale de diamants, est également une variété de péridot.

❑ La serpentine ne doit pas son nom à sa formation minérale, bien que la masse de cette roche verte soit traversée de petits filons fibreux et onduleux qui s'entrecroisent. Son nom vient effectivement du latin *serpens*, dont il n'est pas difficile de deviner le sens, mais reflète simplement la vieille croyance que la pierre a le pouvoir de préserver de la morsure du serpent.

❑ Oublié pendant des siècles, le péridot fut redécouvert par Napoléon Bonaparte, qui en pilla l'Egypte, puis se mit en quête de nouvelles sources. La véritable source du péridot lui échappa cependant, ainsi qu'aux amateurs du siècle dernier, puisque le péridot provient de l'espace et atteint la Terre sous forme de météorites.

❑ Il existe de beaux péridots venus de Birmanie, dont le poids dépasse 300 carats (60 grammes).

Les cristaux de péridot, pierre semi-précieuse de couleur vert clair, se rencontrent souvent parmi des roches ordinaires. Le cristal que l'on voit ici vient d'Egypte. On trouve également du péridot de belle qualité en Birmanie et en Arizona.

L'élégance du jade

Aussi surprenant que cela puisse paraître, les objets sculptés dans ce qu'on appelle du jade sont en réalité soit de la néphrite, soit de la jadéite. Cette distinction peut sembler oiseuse, et pourtant il s'agit de deux pierres de composition parfaitement différente : la néphrite est un silicate de fer, de calcium et de magnésium, dont la couleur va du blanc au vert épinard en passant par le brun et le noir, tandis que la jadéite est un silicate de fer, d'aluminium et de sodium, dont la couleur varie du blanc au vert émeraude. Bien que très différentes, ces deux pierres portent le même nom générique de "jade", et ont pour point commun d'être toutes deux très dures et très résistantes. Les Chinois extrayaient la néphrite, qu'ils appelaient *yu*, du Turkestan il y a 5000 ans - cette pierre était très appréciée des empereurs mongols. Pour la ramasser, on marchait pieds nus parmi les galets du lit des rivières et, lorsqu'on rencontrait une pierre qui paraissait plus lisse et plus arrondie que les autres, on la rapportait sur la rive. L'autre variété de jade, la jadéite, en provenance de Birmanie, commença à arriver en Chine au XVIIIe siècle. C'est alors que commença la fabuleuse époque du jade impérial, au cours de laquelle tant d'objets splendides furent sculptés dans cette pierre. Lorsque les Espagnols envahirent l'Amérique centrale, ils rencontrèrent des "Indiens" qui portaient des ornements de jade, et ils appelèrent cette pierre *piedra de ijada*, ce qui signifie "pierre du flanc", car cette pierre passait pour guérir les coliques néphrétiques. Le nom de néphrite, quant à lui, vient du grec *nephros*, qui signifie "rein", à la fois parce que la pierre avait, croyait-on, le pouvoir de guérir les maladies des reins, et en raison de la forme des blocs de néphrite. Le "jade impérial" est la plus belle et la plus fine des jadéites, d'un admirable vert translucide, sans la moindre veine blanche. En raison de sa masse et de son grain serré, le jade est une pierre idéale à sculpter et à polir.

Ce lion sculpté dans le jade est un symbole d'énergie pour les adeptes du taoïsme, philosophie mystique fondée au VIe siècle av. J.-C. par le Chinois Lao-Tseu.

Bloc de jade provenant de Colombie britannique dont une face a reçu un poli moyen. Le côté de la cassure ne présente aucun signe de travail : il n'a été ni taillé, ni poli.

Ce galet de néphrite de Sibérie comporte une ligne de fracture et les taches brunes que l'on aperçoit révèlent la présence d'une impureté - probablement du fer.

L'art maya (Amérique centrale précolombienne) est d'un symbolisme extrême. Ce fragment de sculpture sur jade, qui date du début du Xe siècle ap. J.-C., a été découvert lors de fouilles réalisées au Honduras, à Las Cuevas, en 1958. Il représente un dignitaire maya assis portant une coiffe de plumes.

LE SAVIEZ-VOUS ?

❏ Les premiers Polynésiens de Nouvelle-Zélande transportaient avec eux les images de leurs divinités. Cette figurine de jade aux grands yeux et à l'air malicieux, appelée Tiki, se portait autour du cou pour écarter les forces du mal, et rendait le sort favorable aux chefs maoris.

❏ Le jade se taillait déjà quatre mille ans avant notre ère. Deux mille ans av. J.-C., un énorme bloc de jade, pesant six tonnes, en provenance d'Asie centrale, fut introduit en Chine, et il fallut sept ans pour sculpter dans ce bloc une scène représentant les crues du fleuve Jaune (le Hoang-ho).

❏ Au cours de la dernière période glacière, qui s'acheva en Europe il y a environ dix mille ans, des blocs de jadenéphritique arrachés par les glaciers aux montagnes scandinaves furent charriés jusqu'en Allemagne septentrionale.

❏ La couleur de la jadéite varie du rouge au bleu lavande, mais c'est le vert qui est le plus recherché.

Le lapis lazuli et les phosphates

Les phosphates sont les minéraux qui s'associent le plus facilement à presque tous les autres minéraux qu'ils rencontrent. En règle générale, ils se forment à partir de minéraux altérés par l'action de la pression ou de températures élevées. Trois noms prêtent à confusion : la lazulite, qui est un phosphate, l'azurite, qui est un carbonate naturel de cuivre, de couleur bleue, et la lazurite, qui est un silicate. La lazulite, qui est considérée comme une imitation du lapis-lazuli, ressemble beaucoup, à l'état naturel, au bleu vernissé de la porcelaine de Chine classique décorée du "motif du saule". On l'appelait autrefois *lazulum*, qui est le nom latin du lapis-lazuli, ce qui ne fit qu'entretenir la confusion dès le début. Les plus belles variétés de lazulite proviennent du Brésil. Quant au véritable lapis-lazuli, c'est une forme métamorphique du calcaire, riche en lazurite, pierre beaucoup plus rare que la lazulite. Il doit son nom à deux langues différentes : *lapis*, en latin, signifie "pierre", et *lazuli* en arabe signifie "bleu". En Afghanistan, le lapis-lazuli se ramassait déjà voici 6000 ans. On l'appelait *sapphirus*, c'est-à-dire "bleu céleste profond". A Babylone, cinq siècles avant notre ère, on se servait de cette pierre pour garantir certaines transactions financières (le lapis est donc un peu l'ancêtre de nos cartes de crédit). Les Egyptiens connaissaient également le lapis-lazuli, dont ils firent quelques-uns de leurs plus beaux bijoux. Les Chinois, qui en possédaient des gisements, surent tirer le meilleur parti de son lustre et de son bleu outremer. Les plus beaux lapis-lazuli viennent de la province du Badakhshan, en Afghanistan. On en trouve également (de moins belle qualité toutefois) en Russie, au Chili et aux Etats-Unis.

Broche ornée en son centre d'un lapis-lazuli du Chili. Les veines blanches de calcite et les petites taches de pyrite montrent bien que la qualité de cette pierre est loin de la pureté et de la couleur du lapis-lazuli afghan que l'on voit en haut à droite.

La qualité de ce grand lapis-lazuli d'Afghanistan ne fait aucun doute. Sa couleur est sans irrégularité et la pierre ne contient aucun autre minéral.

❏ De grands peintres du Moyen Age reçurent de leurs mécènes l'ordre de se procurer du lapis lazuli qu'ils réduisaient en poudre pour en tirer un bleu qu'on appela ultramarin. Tous les peintres, bien entendu, ne pouvaient s'offrir la coûteuse pierre, mais c'est là l'origine de notre bleu outre-mer.

❏ Un phosphate appelé pseudomalachite est une pierre d'un beau vert qui ressemble beaucoup à l'émeraude véritable. Comme il arrive souvent en botanique ou en zoologie, cette pierre possède d'autres noms qui prêtent à confusion. Il s'agit en fait d'un seule et même minéral.

❏ En 1945, deux minéralogistes découvrirent au Brésil un phosphate inconnu jusqu'alors dont les cristaux translucides sont d'un beau vert pâle (ci-dessous). Certains de ces cristaux sont de belle taille et de forme parfaite, et par conséquent très recherchés. Le plus grand qu'on ait trouvé à ce jour est une pierre de 42 carats (8,2 grammes).

Les Sumériens (peuple guerrier vivant 2500 ans avant notre ère) utilisèrent des dalles de lapis-lazuli pour former l'arrière-plan de cette scène représentant un "char de bataille", chariot à quatre roues conduit par deux soldats et tiré par des ânes sauvages. Le chariot est coloré de calcaire rouge et orné de morceaux de coquillages.

Ce morceau de lapis-lazuli montre toutes les caractéristiques qui permettent de distinguer une pierre de piètre qualité d'une pierre de belle qualité : les veines de calcite, la coloration inégale, les points dorés de pyrite et la surface tachetée.

La turquoise

La turquoise est un phosphate d'aluminium et de cuivre, et c'est la présence de ce dernier qui donne à la pierre son beau bleu caractéristique, tirant sur le vert. Elle doit son nom à un mot d'ancien français, *turquois*, qui signifie "turc", car à l'origine, cette pierre fut apportée de Turquie en Europe occidentale. La turquoise se forme par altération radicale de roches très anciennes, ou à l'état liquide dans les creux des formations gréseuses, sur lesquels elle forme un revêtement en se solidifiant. Dans le deuxième cas, elle se présente sous forme de nodules. La turquoise possède bien une structure cristalline, mais ses cristaux sont de si petite taille qu'on peut presque dire de cette pierre fine qu'elle est tout d'une masse, car elle n'a pas de structure cristalline régulière. Elle est à peu près opaque, et ne devient translucide que si on la coupe en lamelles très minces. En Orient et en Egypte, dans l'Antiquité, et chez les Amérindiens, à une époque reculée, on sculptait cette pierre pour en faire des instruments rituels; l'on en faisait aussi des bijoux. La turquoise ne se taille pas à facettes, elle se polit pour faire des cabochons. Sur l'échelle de dureté de Mohs, cette pierre qui paraît tendre se situe entre les degrés 5 et 6, ce qui signifie qu'elle raye le verre et le cuivre, et peut donc se porter de façon durable. On en a fait des imitations en teignant de l'os ou de l'ivoire, et il arrive que l'on cherche à faire passer pour de la turquoise un autre phosphate qui lui ressemble beaucoup, la lazulite.

Ces cabochons de turquoise fabriqués par les Indiens Navajos et montés sur de l'argent et des rangées de perles établissent un lien direct avec l'art aztèque du XIVe siècle. Quinze siècles plus tôt, et même davantage, les Egyptiens de l'Antiquité savaient déjà réaliser des merveilles avec cette pierre.

La turquoise est une roche de formation secondaire, qui se rencontre sous forme de blocs ou de revêtement couvrant des roches sédimentaires. En dehors de la belle couleur bleue traditionnelle, cette pierre est parfois d'un vert bleuté (turquoise de Turquie), ou encore gris-vert.

La surface polie de cette dalle de turquoise trouvée dans le Nevada montre bien que la pierre s'est formée en association avec de la limonite, ou hématite brune, qui est un minerai de fer.

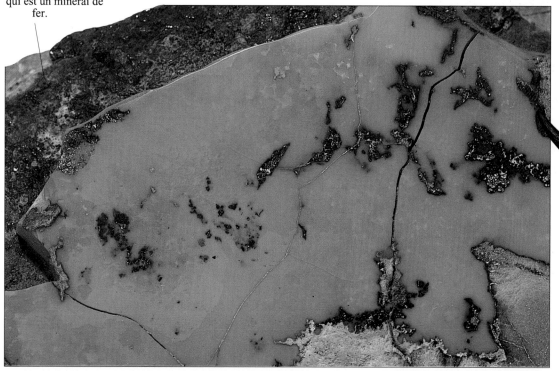

❏ La tête de bison que l'on voit ci-dessus est ornée de 10 000 carats de turquoises (2 kg). Les Aztèques, qui vivaient au Mexique et furent anéantis par la venue des Espagnols en 1520, faisaient grand cas de cette pierre et en ornaient bon nombre des objets qu'ils fabriquaient. L'or avait moins de valeur aux yeux des Aztèques, en raison de sa relative abondance.

❏ On a découvert un collier égyptien de toute beauté qui n'avait pas moins de cinq rangées de turquoises et de pendentifs de cornaline. Mais les lapidaires égyptiens, à court de turquoises de belle qualité, imitèrent les pierres qui leur manquaient à l'aide d'une pâte de quartz vernissée et émaillée pour obtenir le bleu qu'ils recherchaient. Cette technique fut plus tard retrouvée pour fabriquer de la faïence, très utilisée en poterie et en joaillerie.

❏ Le bleu de la turquoise devient vert lorsque la pierre est frottée de graisse ou de crème cosmétique, et il perd son éclat quand il est exposé au soleil. Pour éviter le contact avec l'eau et les matières huileuses, on peut recouvrir les turquoises d'une pellicule de plastique transparent.

L'art du lapidaire

Cette broche, composée de dix rubis dont chacun est entouré de diamants de la plus belle eau, fut créée entre les deux guerres par les joailliers parisiens Van Cleef et Arpels. C'est un classique du grand art du lapidaire.

Mysticisme, religion et pierres précieuses sont étroitement liés. Même de nos jours, de nombreuses gemmes ont la réputation de porter bonheur ou malheur. Dans l'Egypte antique, le soleil était un dieu, représenté par un disque d'or. On croit encore beaucoup aux pierres de naissance, et nombreux sont ceux qui refusent de porter une pierre qui ne leur correspond pas. Il y a des millénaires que l'on connaît la dureté des pierres, et l'on découvrit de très bonne heure qu'en frottant une pierre d'une certaine dureté contre une autre pierre, la pierre la plus tendre finit toujours par être réduite en poussière. Les grenats, par exemple, étaient percés, à l'époque préhistorique, à l'aide de poudres de grenat de nature différente, dont certaines sont plus tendres que d'autres, que l'on essayait successivement jusqu'à obtenir un trou. On découvrit aussi que certaines pierres de dureté égale donnaient, par friction l'une contre l'autre, des facettes polies. Cette découverte en amena une autre : au XVe siècle, on apprit à tailler le diamant. Avant cette époque, les facettes d'une pierre dure s'obtenaient par utilisation d'un matériau abrasif, puis elles étaient polies. De nos jours, on taille les belles pierres avec le plus grand soin pour les mettre au mieux en valeur. Les lapidaires de talent étudient attentivement la forme d'une pierre, et en évaluent le potentiel avant de la tailler. Chaque pierre possède une table (son sommet), une couronne, un feuilletis (son contour tranchant) et un pavillon (sa base). Lorsqu'un examen très attentif a permis de déterminer quelle est la forme optimale d'une pierre, celle-ci est sciée à l'aide d'une roue à diamant, afin de lui donner une ébauche de forme. Puis c'est le tour des facettes, toujours à l'aide d'une roue à diamant, mais plate cette fois. Le polissage s'effectue aussi à la roue, à l'aide de trois ou quatre épaisseurs différentes d'abrasifs. Puis la dernière touche se donne au rouge de joaillier (qui contient de l'hémétite et de la pierre ponce).

Ici, l'on trie des diamants circulaires de belle qualité. Lorsqu'on estime une collection de diamants, on commence par évaluer leur calibre : toutes les pierres de la même taille sont placées ensemble.

LE SAVIEZ-VOUS ?

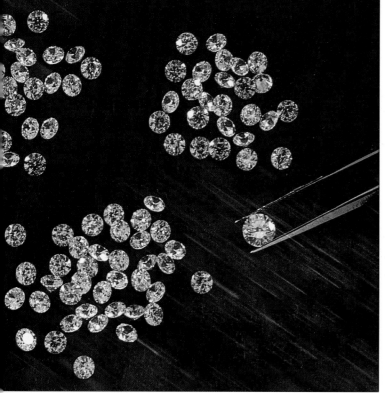

Collier de diamants fantaisie, jaunes et blanc bleuté. Les plus beaux diamants jaunes viennent d'Afrique du Sud et sont très rares.

Un cristal de diamant brut est parfois d'apparence bien ordinaire. Sa surface peut sembler abrasée, mais qu'on ne s'y laisse pas tromper : rien ne peut rayer un diamant!

❑ La plupart des pierres précieuses que produit la nature possèdent des défauts et contiennent souvent des impuretés. La forme parfaite des pierres de synthèse, comme le rubis que l'on voit ci-dessus, révèle le travail de l'homme.

❑ Les pierres précieuses taillées par les Grecs et les Romains sont d'une remarquable qualité, mais on sait - la nature humaine possède une certaine constance - qu'il existait déjà des faussaires. Ceux-ci, afin de donner à certaines pierres un âge qu'elles n'avaient pas, avaient recours à des moyens pour le moins curieux. Un faussaire faisait ainsi avaler des pierres à des dindes, afin que le gésier joue son rôle abrasif et les ternisse, leur donnant un air de "déjà porté".

❑ L'unité de poids utilisée en joaillerie est le carat, qui vaut un cinquième de gramme. On parle également de dureté des pierres, de clivage (pour désigner la surface suivant laquelle se fend une pierre), de densité, de couleur, de brillant (ou éclat) et d'indice de réfraction (qui se calcule d'après l'angle selon lequel le rayon incident de lumière est dévié en traversant un cristal).

L'ambre

L'ambre, résine fossilisée dure et transparente, était il y a des millions d'années ce liquide collant et visqueux qui s'écoule des arbres, notamment des pins. Lorsque la résine s'accumulait en petites flaques, le temps et la pression des matériaux qui la recouvraient provoquaient son durcissement et c'est ainsi qu'elle se fossilisait. D'origine végétale, l'ambre n'est donc pas un minéral, et s'il trouve sa place ici, c'est en raison de sa valeur considérable, non seulement parce qu'il permet d'étudier des végétaux et des insectes aujourd'hui disparus, mais aussi parce qu'une fois poli il donne des bijoux de toute beauté. Il peut être de couleur jaune, rouge ou brune. Le littoral de la mer Baltique est sans doute le lieu du monde où se trouvent concentrées les plus grandes quantités d'ambre, dont les galets ronds, qui paraissent tendres comme de la cire, renferment des insectes et des araignées qui semblent parfaitement conservés depuis 35 à 40 millions d'années. Les gisements d'ambre du Colorado, qui datent de 15 à 35 millions d'années, contiennent eux aussi des insectes fossilisés. Les résineux étaient également abondants sur l'île de Saint-Domingue, et l'on y trouve aussi de l'ambre. Les insectes ensevelis dans l'ambre paraissent être restés intacts, mais la plupart du temps il n'en subsiste rien qu'une empreinte de carbone tapissant une cavité vide. Il n'en reste pas moins que l'on peut souvent en étudier plus en détail l'anatomie externe qu'à partir des restes fossilisés dans la roche, qui sont souvent en morceaux et en mauvais état. L'acheteur aura intérêt à se montrer prudent, car l'ambre s'imite facilement avec de la résine artificielle, qui se vend parfois avec inclusions fraîches pour mieux berner le naïf.

Cette guêpe et cette mouche, prisonnières de l'ambre depuis 30 millions d'années, semblent en parfait état de conservation. C'est une illusion. Elles sont réduites à une mince pellicule de carbone, mais si complète qu'il est encore possible d'étudier la partie externe de leur squelette. Les bulles retenues à l'intérieur de l'ambre sont les gaz émis par leur décomposition.

Ce pourrait être un paysage d'il y a 35 millions d'années. La sève visqueuse devenue l'ambre, splendide et recherché, s'écoulait de pins exactement semblables à ceux-ci, qui bordent une île de la mer Baltique.

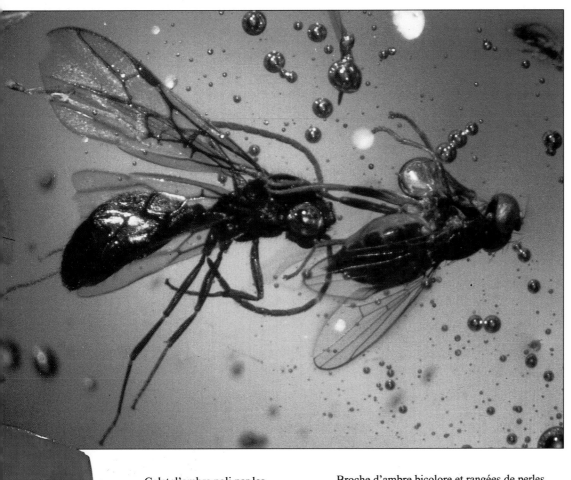

❏ Les Arabes et les Grecs de l'Antiquité connaissaient depuis longtemps les étranges propriétés de l'ambre, qui attire la poussière et les fines particules lorsque, par frottement, on lui donne une charge électrique. Le mot ambre vient de l'arabe *anbar*; cette substance se nommait *electron* en grec.

❏ On a trouvé de l'ambre contenant des insectes sur un site préhistorique danois datant de 7000 ans av. J.-C. Deux mille ans avant notre ère, dans la sud de l'Angleterre, sur le célèbre site de Stonehenge, prêtres et chefs locaux enterraient l'ambre au cours de cérémonies rituelles. Dans la Grèce préhellénique, à Mycènes, des tombeaux datant de 1600 av. J.-C. contenaient de l'ambre. Cette substance chaude et douce était donc à la fois ornement et source d'émerveillement.

Galet d'ambre poli par les vagues après avoir été arraché aux gisements sédimentaires dans lesquels il était resté pendant des millions d'années.

Broche d'ambre bicolore et rangées de perles d'ambre brun rouge et doré. L'ambre des marais est parfois presque noir. Quant à l'ambre blanc, il renferme une multitude de minuscules bulles d'air.

❏ La résine des arbres se récolte encore de nos jours (photo ci-dessus, prise dans le sud du Mexique). Elle entre dans la fabrication de médicaments, de vernis, d'encre.

❏ L'ambre avait tant de valeur à l'époque romaine (où les esclaves en avaient si peu), qu'un ami de Néron se targuait, en l'an 60 de notre ère, de pouvoir acheter un esclave moins cher qu'un morceau d'ambre.

Les perles, joyaux façonnés par les coquillages

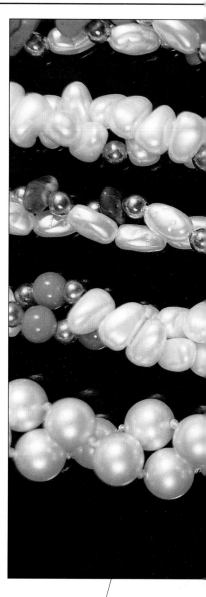

Bien que du point de vue du géologue, il ne s'agisse pas d'un minéral, car elle se compose de sécrétions organiques, la perle contient néanmoins 85% de carbonate de calcium, minéral que l'on appelle aragonite. Les perles se portent comme on porte les autres bijoux, et méritent une place d'honneur auprès des pierres précieuses. La perle contient la même substance - la nacre - que l'intérieur de la coquille d'huître, ou de la coquille de moule d'eau douce. Les huîtres et les moules ne sont pas les seuls coquillages à sécréter des perles. Il existe un grand escargot de mer des Caraïbes et un autre mollusque, le tridacne géant, ou bénitier, qui en sécrètent également. La perle est une concrétion dure et brillante qui se forme lorsque le mollusque est irrité par la présence d'un corps étranger à l'intérieur de la coquille. Pour isoler et enrober celui-ci, le mollusque sécrète des couches concentriques de nacre. Ce sont précisément ces couches concentriques qui permettent de distinguer la perle authentique de la perle artificielle. Les vraies perles ont une surface rugueuse, tandis que les perles artificielles sont lisses. Comme dans tous les cas où l'on compare le synthétique et le naturel, le travail de l'homme est en général trop parfait, tandis que le produit de la nature est rarement tout à fait symétrique, et contient des défauts. Il fut un temps où l'Océan Pacifique et le Golfe du Bengale étaient les premières sources de perles naturelles, jusqu'au jour où l'on s'aperçut que les moules d'eau douce pouvaient également produire de grandes perles : après que l'on en eut découvert une de 20 grammes dans une moule du New Jersey, en 1857, les Américains jouèrent une réédition de leur ruée vers l'or de 1849.

Dans cette coquille d'huître se trouvent trois demi-perles, prêtes à être récoltées. Leur sécrétion a été provoquée en implantant de petits fragments de nacre circulaires.

Rangées de perles de formes variées, et de turquoises, d'améthystes, de jade et d'or. Une fois polies, les pierres ne rayent pas la surface des perles.

LE SAVIEZ-VOUS ?

❑ Forme, couleur, taille et éclat font la valeur d'une perle. Toutes les perles ne sont pas blanches: elles peuvent être roses, vertes, jaunes, orange, ou même noires.

❑ Certaines perles ne se forment pas dans les tissus tendres de l'huître, mais dans la zone musculaire: elles peuvent alors avoir une forme de dôme, plat sur une face.

❑ Les grosses perles sont tendres et fragiles, et il importe qu'elles ne soient pas mises en contact avec des pierres anguleuses. Les longs écrins dans lesquels sont présentées les perles de valeur ne sont pas seulement destinés à impressionner le client: ils évitent que les perles n'entrent en contact avec le fermoir.

❑ Selon la tradition islamique, l'Univers fut créé à l'intérieur d'une perle de 320 000 kilomètres de diamètre.

❑ Au XIIe siècle, on implantait de petites figurines de verre représentant Bouddha dans des moules. On les y laissait de trois à huit ans, le temps qu'elles soient enrobées de nacre. Les petites figurines que l'on voit ci-dessous ont subi le même procédé en Chine au milieu du siècle dernier.

Perle naturelle dans une coquille d'huître. Le mollusque neutralise un intrus en le recouvrant de couches d'aragonite. Selon une théorie récente, ce sont des modifications cellulaires internes qui créeraient les perles.

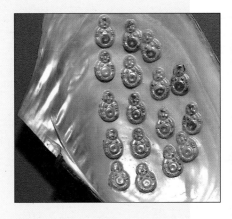

Le corail

Il viendrait rarement à l'idée des chercheurs de pierres semi-précieuses de revêtir un scaphandre et de plonger dans les eaux miroitantes des récifs tropicaux. On n'y trouve pas de pierres naturelles (du moins une exploration superficielle ne permet pas d'en trouver), mais une substance de toute beauté, le corail. Le corail est constitué de calcite, une variété de carbonate de calcium, qui se forme à partir de sels minéraux en solution dans l'eau de mer, qu'accumulent les coelentérés vivant en colonies de polypes dans les eaux chaudes du globe. Chacun des milliards de polypes constituant ces colonies, que l'on appelle polypiers, sécrète un petit squelette calcaire qui sert de support à ses tissus, et c'est précisément l'accumulation de ces myriades de minuscules squelettes qui donne le corail. Le récif de corail grandit au fur et à mesure que de nouveaux polypes élisent domicile sur le terrain de leurs ancêtres. Les perles de corail se portent comme ornements depuis des milliers d'années, et l'on en fait des colliers que l'on enfile par les minuscules galeries naturelles qu'ils contiennent. Les plus appréciés sont ceux de la variété *corallium*, dont le rouge vermillon est bien connu. On en trouve également des variétés blanches, ou roses, et même parfois bleues ou noires. A l'instar de la perle et de l'ambre, et bien qu'il ne s'agisse pas à proprement parler de minéraux, les coraux sont très appréciés en joaillerie, au même titre que les pierres précieuses. Le manche des criss malais, par exemple, est souvent orné d'*akabar*, ou corail noir - l'on en fait également les grains des chapelets de prière orientaux. Le corail s'associe avec bonheur à l'or et à l'argent. Enfin, il se taille et se sculpte facilement.

Les eaux peu profondes qui entourent certaines îles du Pacifique abritent de nombreux récifs de corail. Certains sont tendres et présentent des branches délicates, comme ceux que l'on voit ici : ils possèdent un squelette interne composé de cristaux de calcaire. Les coraux les plus durs, qui vivent dans les mêmes eaux, s'utilisent à des fins décoratives.

Collier de cinq rangées de perles de corail. A la fin du XIXe siècle, les bijoux artisanaux de corail étaient très appréciés et le corail dont on pouvait faire des perles était très recherché.

Grands coraux rouges à côté d'une paire d'éponges, rouges également, mais de plus petite taille, qui se dressent vers la surface sur ce récif situé au large de l'île Sainte-Lucie, aux Antilles. Au premier plan, des crinoïdes semblables à des fougères, parents des étoiles de mer, tandis que du corail dur, de couleur pâle, forme un tapis.

LE SAVIEZ-VOUS ?

❏ L'homme est sans aucun doute le plus dangereux prédateur de notre planète, mais certains récifs de corail ont à subir un autre danger. IL s'agit d'une étoile de mer, qui inexorablement se repaît des polypes qui forment le corail.

❏ Relativement tendre, le corail se taille facilement; l'on en fait fréquemment des figurines, des frises ou des amulettes. Dans certains pays tropicaux, les lieux de culte sont ornés d'objets sculptés dans le corail.

❏ On attribue au corail la propriété de préserver de la rage et du mauvais oeil, d'arrêter les hémorragies et de guérir de la goutte.

❏ Ne jamais utiliser de produits vendus dans le commerce pour nettoyer du corail : de l'eau et du savon, et un chiffon propre suffiront. Les arêtes du corail usent tous les fils, même les fils de nylon, et on aura intérêt à changer de fil périodiquement.

❏ La pollution de l'air et des mers attaque le corail et rend impossible sa croissance. De nombreux récifs de corail sont protégés, du moins en théorie, afin de permettre au corail de survivre. Puisque nous empêchons le corail de croître normalement, on comprendra aisément qu'il convient de ne plus en prélever que de toutes petites quantités, et de renoncer à l'utiliser comme on l'a fait jusqu'à présent.

Les joyaux de l'Antiquité

L'imagerie populaire représente l'homme primitif portant autour du cou des dents de tigre à dents de sabre. il s'agit là sans doute d'un trophée, mais également d'un ornement. De même, l'on porte des pierres précieuses pour son plaisir, mais sans doute aussi comme symbole de réussite sociale, et pour faire admirer ses richesses. Il est fréquent que les beaux bijoux aillent de pair avec le grand âge. La perfection artistique de certains joyaux de l'Egypte antique de la période dynastique, qui s'étend de 3100 à 340 av. J.-C., est particulièrement étonnante. Malheureusement, en dépit de toutes les précautions prises pour que les tombeaux des pharaons ne puissent être découverts, ils furent pillés sans doute bien avant notre époque, probablement même dans la dizaine d'années qui suivit leur fermeture. Le peu que l'on a découvert est une source de frustration, quand on songe, par exemple, aux merveilles découvertes dans le tombeau de Toutankhamon (qui date de 1400 avant notre ère). Les Grecs de l'Antiquité fabriquaient de superbes bijoux, mais ce sont surtout les sculptures de pierre et de marbre que l'on retient de cette civilisation. Les Romains appréciaient fort les joyaux, et les ouvrages en filigrane d'or des Etrusques sont restés sans rivaux. Les Incas d'Amérique du Sud et les Aztèques d'Amérique centrale, deux civilisations qui se trouvaient à leur apogée au XVe siècle, succombèrent au début du XVe siècle face aux envahisseurs espagnols, dont les campagnes eurent sans doute pour motif principal l'appât de l'or et des pierres précieuses amassés par ces civilisations. Récemment, on a fait la découverte, en Equateur, de bijoux en alliage d'or, d'argent et de cuivre, destinés à orner lèvres et nez, et qui datent de trois mille ans avant notre ère, ce qui prouve le stade avancé atteint par une civilisation américaine, plus de quatre millénaires avant les Aztèques.

Exemple de bijou égyptien de la dix-huitième dynastie (1567-1320 av. J.-C.). Ce collier, qui appartenait à la reine Ahhotpe, provenait de la ville de Thèbes, dans la Vallée des Rois. Il est fait de cornaline, de turquoise et de quartz vitrifié sertis dans de l'or fin. Au centre, la fleur de lotus stylisée sert de contrepoids - elle se portait probablement sur la nuque, et se prolongeait sans doute par une double rangée de perles.

LE SAVIEZ-VOUS ?

❑ Les sceaux taillés dans des pierres semi-précieuses à Babylone voici sept mille ans, sont parmi les premiers exemples de joaillerie.

❑ Les Romains étaient habiles à travailler les pierres précieuses et experts en orfèvrerie. La parure en or que l'on voit ci-dessous est ornée de saphirs, d'émeraudes et de perles. Elle fut découverte à Tunis, et date du IIIe siècle de notre ère. Elle y fut laissée par les Romains, qui prirent définitivement Carthage en 146 av. J.-C. et conservèrent cette colonie jusqu'au Ve siècle de notre ère - les Vandales les en chassèrent alors.

Camée de sardoine représentant le roi d'Egypte Ptolémée II (IIIe siècle avant notre ère) et sa femme qui, selon la coutume, était également sa fille.

Masque mortuaire en or, dont on a d'abord cru qu'il était celui du roi Agamemnon, chef des armées achéennes à la guerre de Troie. On découvrit par la suite que ce masque était celui d'un dignitaire que l'on n'a pas réussi à identifier, et qui vécut au XVIe siècle avant notre ère, soit quatre siècles avant la guerre de Troie.

❑ La joaillerie romaine nous est connue en grande partie grâce aux découvertes effectuées à Pompéi et à Herculanum. Les victimes ensevelies lors de l'éruption du Vésuve portaient toujours quand on les découvrit leurs bracelets et leurs bagues en or ornées de pierres

Collectionner les roches

Dans les régions montagneuses, il arrive fréquemment que l'on rencontre des géologues amateurs, armés d'un marteau à tête tranchante et munis d'une carte géologique. Les géologues s'intéressent tout particulièrement aux roches sédimentaires, car elles contiennent souvent des fossiles donnant de précieuses indications sur l'âge et sur les origines de la formation où ils se trouvent. Ils emportent également un petit flacon d'acide chlorhydrique pour tester la nature chimique des pierres. Une goutte d'acide versée sur du calcaire, par exemple, provoque une effervescence très nette. Le marteau de géologue sert à détacher de petits morceaux de roche, pour les emporter en vue d'un examen plus approfondi : la face qui vient d'être dégagée apporte davantage de renseignements que celle exposée aux intempéries. Mais les géologues ne sont pas les seuls à se laisser fasciner par les roches et les minéraux. L'on n'a pas besoin d'en connaître la composition chimique, le degré de dureté et autres données scientifiques, pour apprécier la beauté et la texture d'une pierre. Lorsqu'on se promène sur une plage de galets, sans même s'en apercevoir, on regarde parmi les pierres si l'on ne distingue pas un spécimen intéressant. Il existe des machines permettant de dessabler et de polir les pierres chez soi. On peut ensuite fabriquer soi-même des bijoux. On prendra soin de placer dans le récipient tapissé de caoutchouc de la machine, avec l'eau et le carborundum (ou siliciure de carbone), des pierres de même dureté afin d'éviter que des pierres plus tendres que d'autres ne soit réduites en poussière.

L'agate est une pierre relativement commune, et donc de prix abordable à l'état naturel, que l'on peut polir et sertir soi-même dans une monture, comme l'agate brésilienne que l'on voit ici, pour en faire de jolis pendentifs.

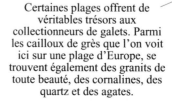

Certaines plages offrent de véritables trésors aux collectionneurs de galets. Parmi les cailloux de grès que l'on voit ici sur une plage d'Europe, se trouvent également des granits de toute beauté, des cornalines, des quartz et des agates.

Géologue recueillant des échantillons de roches. Il est préférable de choisir des fragments que l'on détache soi-même plutôt que des pierres déjà tombées par terre. Il est recommandé également de porter un casque léger, pour le cas où quelqu'un serait en train d'en faire autant un peu plus haut.

Ces pierres étaient des galets que l'on a dégrossis et dessablés, puis taillés et polis pour en faire des cabochons. On voit ici des agates, du quartz rose, du granit et des améthystes, qui tous sont de la même dureté et peuvent donc se travailler ensemble.

LE SAVIEZ-VOUS ?

❑ L'explorateur qui part à la découverte des roches et des minéraux est souvent obligé de marcher dans l'eau, et même dans l'eau glacée des grottes obscures. Le géologue que l'on voit ci-dessus se frayer un passage entre les parois rocheuses est bien équipé pour cette expédition dans un cours d'eau souterrain. La caverne est tapissée de vaguelettes formées par les dépôts de calcite apportés par les eaux de ruissellement.

❑ Agates, oeils-de-chat, quartz rose et améthystes se trouvent dans les boutiques de pierres et se polissent très facilement. Une fois polies et lissées, ces pierres se percent et font de très jolis colliers et pendentifs. Lorsqu'elles sont de petite taille et par paires, on peut en faire de beaux boutons de manchettes. Les colles à base de résine sont parfaites pour les faire tenir. Pour couper une pierre comme l'agate, qui est extrêmement dure, il faut une scie à diamant.

FAITS ET RECORDS

Un diamant qui porte malheur

Il pèse 45,52 carats, et c'est le plus grand diamant bleu du monde. Il se trouve actuellement à Washington, exposé à la Smithsonian Institution, et il a la réputation de porter malheur. Au XVIIIe siècle, il faisait partie des joyaux de la couronne de France : tout le monde sait ce qu'il advint de Louis XVI et de Marie-Antoinette. En 1830, il fut acheté pour la somme de 500 000 francs (de l'époque) par un certain Henry Philip Hope qui ajouta foi aux paroles de ceux qui affirmaient que cette pierre provenait d'un diamant de 112,25 carats découvert en 1640 dans la mine de Golconda, en Inde. La pierre alla confirmer sa réputation aux Etats-Unis, où elle fut achetée pour la somme de 180 000 dollars par une certaine Evelyn Walsh McLean. Celle-ci, lorsqu'elle en eut fait l'acquisition, la fit bénir par un prêtre, ce qui n'empêcha pas une cascade de malheurs de s'abattre sur elle : son fils, âgé de neuf ans, trouva la mort dans un accident de voiture, son mari la quitta, sa fille se suicida, et elle-même sombra dans l'alcool et devait en mourir. A Washington, les murs de la Smithsonian sont toujours debout... pour l'instant du moins. Ce diamant possède une propriété unique en son genre : lorsqu'il reçoit des rayons ultraviolets, il donne une lumière rouge.

Un million de gouttes, un million d'années

On a à plusieurs reprises trouvé dans des cavernes ou dans des grottes des objets recouverts de calcite ayant formé des stalagmites qui témoignent de leur grand âge. Il faut en effet parfois plusieurs milliers d'années pour que se forment stalactites et stalagmites par dépôt, goutte à goutte, de calcite.

Terre de feu, terre de glace

L'Islande est un l'un des pays où l'activité volcanique est le plus forte. La formation de calcite que l'on voit ci-dessous s'est constituée tout autour d'une source chaude, sur la calotte glacière de Vatnajokull qui s'étend sur 8400 kilomètres carrés. Il existe en Islande une autre formation de calcite semblable à celle-ci, à Myrdalsjokull. On y trouve également des sources d'eau sulfureuse, dont l'odeur est suffocante et désagréable. Les calottes glacières d'Islande sont situées sur des volcans en activité, dont les éruptions, à intervalles rapprochés, traversent la glace et l'eau qui se sont accumulées dans leur cratère. C'est ainsi que se créa, au cours d'un de ces bouleversements que les Islandais appellent "jokulhaup", un vaste lac recouvrant plus de mille kilomètres carrés.

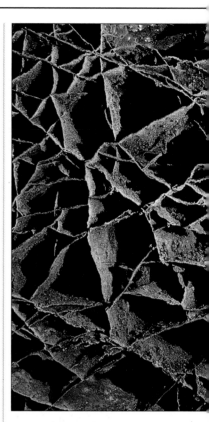

Le trésor du chah

Le diamant le plus célèbre du monde se nomme le "Koh-i-noor". Ce sont les paroles que prononça Nadir Chah, roi de Perse, lorsque lui fut présenté ce diamant, en 1739. Ces paroles, qui signifient "montagne de lumière", décrivent à merveille cette pierre magnifique

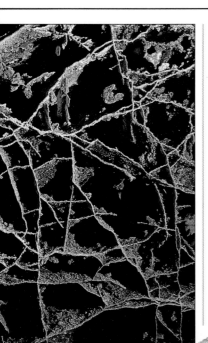

La formation des cavernes

Les cavernes peuvent se former de plusieurs manières : sous l'action des rivières souterraines qui érodent les parois jusqu'à provoquer l'effondrement des voûtes; sous l'action de la mer, dont les vagues s'attaquent aux couches de roches tendres, laissant les roches plus dures qui les recouvrent; lorsque les laves traversent de vieilles formations rocheuses et y tracent de longues galeries, ou encore sous les assauts des vents chargés de sables et de poussière. La photographie que l'on voit à gauche a été prise dans une galerie creusée par les vents de sable, dans le Dakota du Sud. Dans le Mesa Verde, au Colorado, se trouve un village indien troglodytique du XIIIe siècle creusé par les vents sur une hauteur en surplomb protégée par une falaise de grès.

Les oeufs de la foudre

C'est ainsi que certaines peuplades primitives, croyant que ces mystérieuses roches aux formes arrondies venaient sur Terre lors des orages, nommaient les géodes comme celle que l'on voit ci-dessus et qui contient des agates. Les géodes sont souvent tapissées de calcite, de cristaux de quartz - des améthystes, par exemple - et autres roches aux belles couleurs.

La plus grande géode trouvée à ce jour aurait été découverte au Brésil: elle mesurait 10 mètres de long, 3 mètres de haut, et pesait environ 32 tonnes. On s'imagine mal ramasser une telle pierre, et il a sans doute fallu quelque temps pour la travailler. Une fois la géode ouverte, on y découvrit de grandes améthystes par centaines, et plusieurs pierres précieuses de belle qualité.

Le mur et la libellule

L'Ancien Testament raconte, dans le Livre des Révélations, que les murs de la Jérusalem nouvelle étaient de pierres précieuses, au nombre desquelles la chrysoprase. Cette même pierre, d'une belle couleur vert pomme, fut utilisée par le joaillier René Lalique pour confectionner un corsage peu ordinaire. Ce corsage, d'or et d'émail incrustés de chrysoprase et de diamant, fut offert comme costume de scène à Sarah Bernhardt. Il représentait une libellule avalant la célèbre favorite de Charles VII, Agnès Sorel.

L'abondance du lapis-lazuli

Le lapis-lazuli se trouve en telle quantité que son prix reste inférieur à celui de bien d'autres pierres précieuses ou semi-précieuses. Mais la qualité ne suit pas la quantité : il faut six tonnes de lapis-lazuli pour obtenir un kilogramme de belles pierres.

La pétrification du bois

Dans une région qui faisait autrefois partie du Mexique, et qui se trouve aujourd'hui en Arizona, se dressait voici plusieurs millions d'années une vaste forêt. Les bouleversements telluriques et les inondations arrachèrent cette forêt, et les arbres furent emportés par les flots jusqu'à un lac dont les eaux se sont par la suite évaporées. Des volcans entrèrent ensuite en éruption, et avant que les troncs n'aient eu le temps de se décomposer, ceux-ci furent engloutis dans d'épais manteaux de lave. Celle-ci contenait du fer, du manganèse et du quartz qui, par l'effet de l'oxydation, entrèrent en contact avec les troncs ensevelis. Alors les cellules végétales furent une à une changées en cellules minérales, et les arbres pétrifiés sans changer de forme. On se promène de nos jours dans cette forêt d'agate où les arbres sont encore là où les eaux les avaient déposés il y a des millions d'années de cela.

Le toucher, l'odorat et le goût

La vue n'est pas seule à nous permettre d'identifier lesminéraux : le talc se reconnaît au toucher, l'argile a une odeur caractéristique, et l'on connaît bien le goût du sel.

FAITS ET RECORDS

L'échelle de dureté de Mohs

La dureté est une importante propriété des roches, surtout des gemmes: elle permet à celles-ci de résister à l'action abrasive des corps étrangers et de ne pas se laisser entamer par des agents mécaniques. C'est un minéralogiste allemand, Friedrich Mohs, également surintendant du cabinet impérial de Vienne à partir de 1826, qui eut l'idée d'établir une échelle de dureté, en 1820. Celle-ci comporte dix degrés, et commence par le degré le plus faible. Voici son classement: *1* le talc, *2* le gypse, *3* la calcite, *4* la fluorine, *5* l'apatite, *6* l'orthose, *7* le quartz, *8* la topaze, *9* le corindon, *10* le diamant. Chacune de ces roches, en commençant par le talc, est rayée par la suivante. Le talc est donc rayé par le gypse, le gypse par la calcite, et ainsi jusqu'au diamant. Les roches qui se situent entre deux degrés successifs se classent à des demi-degrés. Ainsi, une roche qui raye l'orthose et que raye le quartz aura-t-elle une dureté de 6,5. C'est le cas de la pyrite. Le degré de dureté du béryl est de 7,5. Aucune roche ne raye le diamant. Lorsqu'on évalue le degré de dureté d'une roche, la face du cristal doit, bien entendu, être parfaitement propre. Il n'est d'ailleurs pas toujours nécessaire d'utiliser un cristal : la dureté de l'ongle est de 2,5, et suffisante par conséquent pour rayer les roches les plus tendres.

Les volatiles contrebandiers

En Amérique du Sud, on raconte qu'on accorda aux employés d'une mine d'émeraude la permission d'apporter des poulets pour que les volatiles "nettoient les miettes". En examinant le jabot d'un poulet, on s'aperçut - c'était prévisible - qu'il contenait des émeraudes. Cette histoire sert à justifier les contrôles les plus draconiens et les plus inhumains à la sortie des mines... ce qui n'empêche pas les mineurs de continuer à pratiquer la contrebande.

Les inclusions liquides

Certains cristaux renferment du liquide. Ces inclusions constituent le résidu liquide de la roche sous sa forme d'origine.

Les joyaux de la couronne

La couronne que l'on voit à gauche fait partie du fabuleux trésor d'Iran, et montre bien l'influence de l'Inde sur la joaillerie du Moyen-Orient. Les joyaux de la couronne d'Iran comptent la plus belle collection de turquoises persanes. Cette couronne, libéralement ornée de diamants, de perles, de rubis et de saphirs, évoque de façon somptueuse le faste oriental. La couronne est un symbole de majesté qui remonte à l'Antiquité. L'athlète vainqueur en recevait une, de feuilles et de fleurs mêlées. Un général romain en recevait une de lauriers - comme les poètes de la Grèce antique - au retour d'une campagne victorieuse. La *corona civica*, de feuilles de chêne et de glands, récompensait le citoyen méritant. La tradition se poursuivit avec des copies de feuilles en or ou en argent, tandis que le fer demeurait rare et coûteux. L'une des premières couronnes est faite d'une simple bande de fer cerclée de plaques d'or émaillées et ornées de gemmes.

Les roches du grand rocher

Le grand rocher de Gibraltar, à l'extrême pointe de l'Espagne, contient une multitude de grottes aux voûtes ornées de stalactites. Celles-ci ne sont pas blanches, mais d'onyx rubané de jaune et de brun. Les soldats de Sa Gracieuse Majesté en garnison à Gibraltar se font un devoir d'orner ces stalactites de toutes sortes d'inscriptions du plus bel effet.

L'or à la feuille

L'or se martelle en feuilles, et un spécialiste, avec une trentaine de grammes d'or, obtient une feuille de plus d'un mètre carré. Il faut plus de cent mille feuilles pour en faire une pile de 1 centimètre d'épaisseur !

L'aventure de l'aventurine

Bien avant la découverte de l'aventurine véritable, cette pierre fut fabriquée par hasard, en 1686, avec du verre et de la limaille de cuivre jetée *à l'aventure*. Son auteur, un Vénitien, lui donna ce nom pour rendre hommage au hasard: *per avventura*. Lorsqu'on découvrit la pierre naturelle - du quartz contenant des inclusions de mica - on lui donna le même nom.

Le chaudron souterrain

En dessous du célèbre parc de Yellowstone, aux Etats-Unis, dans le Wyoming, se trouve un chaudron bouillonnant de chaleur et de roches en fusion. L'eau de ruissellement et d'infiltration se mêle à l'eau associée aux éléments minéraux du magma. La libération de gaz et de vapeur mêlés provoque des geysers spectaculaires, comme le célèbre "Old Faithful" (le "Vieux Fidèle"). Ci-dessus, on voit l'orifice d'un chaudron bordé de soufre et de calcite.

L'énigme du platine

Au début du XVIIIe siècle, le platine - que l'on découvrit en Amérique du Sud - était un casse-tête. Par son aspect, il ressemblait à l'argent, mais était plus lourd. Au toucher également, il avait une certaine ressemblance avec l'argent (son nom vient de l'espagnol <plata>, qui signifie "argent"), mais son point de fusion était plus élevé, car il ne parvenait pas à fondre dans les creusets de l'époque. Les joailliers demandèrent des éclaircissements aux minéralogistes, qui n'en avaient pas encore trouvé de pépites, ni de cristaux. Cinquante ans plus tard, le premier objet fabriqué en platine, un calice, fut offert au pape Pie IV. Par la suite, on découvrit une nouvelle source de chaleur associant l'hydrogène et l'oxygène, capable de fondre ce métal (dont le point de fusion est à 1773°C). Il fut dès lors possible de fabriquer autre chose que des anneaux martelés. Sans doute plus rare que l'or, et par conséquent plus coûteux, le platine se trouve sous trois formes différentes : en pépites, en cristaux, et dans les minerais de nickel et d'or. Il se trouve également sous forme d'alliage naturel, associé à l'iridium, au rhodium, qui est encore plus dur, et au palladium, un peu plus répandu et moins cher. L'or blanc s'utilise souvent comme substitut du platine. En Europe, quelques pièces de monnaie ont été frappées en platine.

Roche atomique

A première vue, le caillou que l'on voit ci-dessous pourrait être une roche sous-marine travaillée par l'érosion, ou encore de la pierre ponce, ou un bloc de grès. Il résulte en réalité du travail de l'homme: lorsque la première bombe atomique explosa, le 16 juillet 1945, au Nouveau-Mexique, les températures extrêmes de l'explosion provoquèrent la fusion des grains de sable, qui formèrent cet agglomérat que l'on appelle trinitite.

La fusion du diamant

Est-il possible de fondre le diamant? Dans les années 1980, des scientifiques essayèrent, à l'université de Cornell, aux Etats-Unis, de transformer en diamant des cristaux de carbone, ou de graphite. Ils utilisèrent des enclumes de diamant à des pressions 450 000 fois plus élevées que la pression atmosphérique normale, et envoyèrent un rayon laser à travers l'enclume. Le résultat obtenu fut que l'enclume de diamant fut endommagée aucours du processus.

Les cristaux étoilés

Les beaux cristaux en forme d'étoiles que l'on voit à gauche sont du cristal de roche que l'on appele quartz étoilé. Selon sa coloration, le quartz reçoit des noms différents: améthyste (violette), prase (vert), quartz rose, oeil-de-chat, oeil-de-faucon, jaspe, aventurine, et bien d'autres encore.

La tsavorite, pierre bien gardée

Celui qui part à la recherche de tsavorite, variété de grenat de couleur verte, a tout intérêt à partir bien équipé et bien armé, pour se protéger non des voleurs, mais des lions et des serpents qui habitent la région du Kenya où se trouve cette roche. Son nom lui vient du parc Tsavo, et sa formation est le résultat des températures et des pressions élevées dues à l'activité volcanique. De nos jours, elle s'extrait à grands frais, par fragments minuscules, des montagnes du Kenya. Cette pierre très recherchée, que l'on ne chauffe pas, à la différence de l'émeraude, possède de superbes colorations naturelles, aussi belles que celles de l'émeraude et du jade.

FAITS ET RECORDS

Le diamant du pauvre

Le zircon et ses diverses variétés se décrivent comme des "pierres sans pedigree et sans valeur... qui n'ont rien de gemmes". Si l'on n'a pas les moyens de s'offrir de vrais diamants, le zircon est un substitut passable. Une fois taillée, cette pierre possède un éclat qui n'est pas sans rappeler celui du diamant. A l'état naturel, le zircon est d'ordinaire brunâtre et translucide, mais lorsqu'on le soumet à des températures de 1000°C, il devient bleuté ou incolore : c'est alors qu'il s'emploie en joaillerie. Le zircon se situe au septième degré de l'échelle de dureté (il n'est donc pas très éloigné du diamant), mais lorsqu'on le malmène, ses angles et ses arêtes s'effritent sous le choc. La zircone est un oxyde de zirconium qui s'utilise dans l'industrie, notamment dans l'industrie nucléaire et chimique, en raison de ses propriétés réfractaires : elle est capable de supporter des températures très élevées. L'hyacinthe est une variété de zircon jaune rougeâtre. Le jargon est une petite pierre rouge ressemblant à l'hyacinthe; c'est aussi une jolie variété de zircon de teinte jaune.

Le jade mystique

Placée sur socle d'ébène, cette sculpture taillée dans une variété de jade laiteuse et légère en provenance de Birmanie fut introduite en Chine en 1784. Elle possède une grande valeur symbolique pour les adeptes du taoisme. Cette religion fut fondée par le Chinois Lao-Tseu, contemporain de Confucius, au VIe siècle avant notre ère. Cette sculpture (à droite), représente la Montagne Sacrée. En son centre se trouve le refuge dans lequel les taôistes se "découvrent" symboliquement et découvrent leur place dans l'Univers.

Le chatoiement

Lorsqu'on les regarde, certaines gemmes - le rubis étoilé, particulièrement, et le saphir étoilé - semblent contenir les reflets des yeux de chat. C'est ce qu'on appelle le chatoiement. Ces reflets changeants suivant le jeu de la lumière sont dus aux inclusions en forme d'aiguilles contenues dans les cristaux. L'astérisme est un autre phénomène optique provoqué par la présence d'aiguilles enchâssées dans le cristal, qui font apparaître des étoiles simples ou doubles. Une pierre dans laquelle l'astérisme s'ajoute au chatoiement est de toute beauté, et sa valeur s'accroît d'autant.

L'opale la plus grande

La magnifique "Olympe australe" bigarrée, d'un poids de 3,540 kg, que l'on voit à gauche est, dit-on, la plus grande opale brute trouvée à ce jour. Sa valeur est estimée à plus de cinq millions de francs. Le musée des sciences de Budapest contient une immense collection de 366 920 opales.

Les pierres précieuses fabriquées par l'homme

L'homme sait fabriquer de nombreux cristaux de synthèse, mais là où la nature dispose de tout son temps et n'élimine pas les impuretés, les cristaux fabriqués par l'homme sont purs et facilement identifiables. Certains ont du mal à comprendre qu'un produit sans défaut ait moins de valeur qu'un cristal naturel qui en contient. Le rubis se fabrique en laboratoire : en voici une recette: on place de l'oxyde de plomb et de l'oxyde borique dans un creuset de platine, auxquels on ajoute de l'oxyde d'aluminium et de l'oxyde de chrome. Le mélange est maintenu pendant six heures à 1317°C, jusqu'à fusion de l'oxyde d'aluminium et de l'oxyde de chrome, puis agité. La température est alors réduite de 170°C par jour et, lorsqu'elle descend à 1238°C, au bout de quelques heures, les cristaux de rubis commencent à se former. Des procédés semblables permettent de fabriquer des transistors avec du silicium et du germanium.

Les progrès de la science permettent de fabriquer du diamant. Toutes les principales gemmes sont fabriquées de façon synthétique, et on produit des diamants de synthèse pour leur utilisation industrielle. La principale difficulté est de fabriquer des pierres de dimension et de poids

La fabrication de cristaux de quartz

Les cristaux de quartz se fabriquent dans de l'eau contenant du quartz pur, que l'on chauffe à 704°C, à des pressions très élevées. Le processus prend vingt jours, au terme desquels le quartz naturel a fondu, et se sont formés des cristaux artificiels. Ces cristaux trouvent de nombreuses utilisations industrielles.

Vraie ou fausse?

Comment s'y prendre pour savoir si l'on à affaire à une véritable pierre ou à une imitation? On peut effectuer certains tests qui permettent de s'y reconnaître. 1 Le test de dureté, décrit à la page 100. 2 La mesure de la densité, par immersion. 3 Des mesures optiques, à l'aide de divers instruments, comme le réfractomètre, le polariscope, le spectroscope ou le microscope. Un seul de ces tests n'est pas suffisant, mais une série de tests permet, dans la plupart des cas, de confirmer la qualité d'une pierre.

Antiques colonnes

Semblables à un lit de clous à l'envers, les stalactites que l'on voit ci-dessous pendent des voûtes d'une grotte. Les stalagmites s'élèvent du sol, formées par d'innombrables gouttes d'eau dont chacune contient une infime quantité de calcite. Les fûts des colonnes de calcite se forment lorsque se rencontrent les stalactites et les stalagmites. Les teintes jaunâtres sont dues à la présence d'oxyde de fer. En raison de la lenteur du processus et des variations de rythme dues aux changements climatiques, qui s'accompagnent d'une plus ou moins grande humidité, stalactites et stalagmites portent des anneaux de croissance.

suffisants : on ne fabrique pas encore de diamants de la taille d'une gemme, mais la fabrication de saphirs à partir de titanium et de fer peut donner des cristaux atteignant plusieurs centaines de carats.

Le verre a longtemps été utilisé pour imiter les pierres précieuses. L'oxyde de cobalt donne au verre une coloration bleue, l'oxyde de didyme une coloration rose, et l'oxyde de chrome une coloration verte. Les "gemmes" de verre peuvent être montées sur un paillon (mince feuille de métal placée au fond pour en rehausser l'éclat) ou sur fond de mercure. Ces pierres ne sont pas considérées comme des faux, car elles imitent les gemmes, mais on ne peut les faire passer pour de véritables pierres précieuses.

La fourmi de l'Antiquité

Ci-dessus, on voit une fourmi d'une espèce depuis longtemps disparue, retenue prisonnière d'une matrice de résine fossilisée appelée ambre. Ces insectes récoltaient des graines dans les régions désertiques. Sa dernière graine ramassée, cet insecte fut englouti dans un filet de sève s'écoulant du tronc d'un pin, et qui fut à son tour enseveli sous le sable, la lave et une accumulation de dépôts. En se décmposant, le corps de l'insecte dégagea la bulle de gaz que l'on voit à gauche de la fourmi. L'ambre ne contient rien d'autre qu'une mince pellicule de carbone, même si la fourmi semble entière jusque dans ses moindres détails.

INDEX

Les numéros de pages en caractères **gras** renvoient à la référence principale, légendes y compris.
Les numéros de pages *en italiques* renvoient aux illustrations et à leurs légendes. Les autres références comprises dans le texte, et dans les fiches qui l'accompagnent, sont en caractères d'imprimerie ordinaires.

CREDITS PHOTOGRAPHIQUES

Nous adressons nos remerciements aux photographes qui nous ont fourni les illustrations du présent ouvrage. A côté de leur nom figurent les références des photographies: numéro de page, suivi de la position de la photo sur la page: B (Bas), H (Haut), C (Centre), BG (en Bas à Gauche), etc.

Christie's: 39, 40, 71(H), 86(H)

C.M. Dixon: 12(BG), 18(BG), 21(HG), 27(H,CD), 30(B), 33(CH), 35, 36-7(C), 48, 60(HG), 64, 72(H), 74-5(C), 77(HD), 80(B), 81(B,HD), 83(C), 95(HD,BG,BD), 98(B), 102(H)

Ron & Christine Foord: 46-7(H), 60(B), 99(C)

G.S.F. Picture Library: 21(HD), 34(B), 41(HD), 43(HD), 69(CD), 89(CD), 97(HD)

Natural Science Photos:

Derek Croucher: 16(BG)

N. Groves: 10-11(B)

Paul Kay: 25(B), 27(BD), 42(BG), 45(HD), 47(HD), 50(B), 51(HD), 54-5(B), 55(BD), 59(C), 63(BD), 70(H,B), 75(B), 76-7(B), 78-9(B), 80-1(H), 82-3(B), 87(HD), quatrième de couverture $

Richard Revels: 15(B)

O.C. Roura: 33(CD), 46-7(B)

A. Smith: 93(CD)

P.H. &S.L. Ward: 14-15(B)

Maurice Nimmo: 23(BD), 30-1(C), 46(H), 49(HD), 50(H), 53(CD), 54-5(H), 58-9(B), 61(HD), 62(B), 65(H,B,CD), 75(CD), 79(HD), 96-7(B)

Photo Researchers Inc.:

Frederick Ayer: 90(B)

Charles R. Belinky: 18(BD), 28, 29(HD), 61(B), 81(CH)

Chris Bjornberg: 10(HG)

Brian Brake: 94-5(C)

Louise K. Broman: 16(BD), 17(HG), 57(B), 62-3(B), 96(BG), 97(B)

John Buitenkant: 25(CH), 96-7(H)

Jim Cartier: 52(B), 57(HD), 59(BD)

M. Claye/Jacana: 29(C), 39(BD), 41(HG), 42-3(CH), 68(B), 79(C), 84(BG), 88-9(C), 105

M. dos Passos: 73(B)

Charles Deerby: 66-7(C)

Herman Emmet: 90-1(H)

V. Englebert: 33(B)

Jack Fields: 11(HD)

Carl Frank: 71(BD)

Frederica Georgia: 64-5(C)

François Gohier: 45(B), 98-9(H)

Rick Golt: 13(BD)

Phillip Hayson: 38, 86-7(B)

Harold W. Hoffaman: 103(BD)

Tom Hollyman: 17(B)

Tim Holt: 19(B)

J. Koivula: 17(CG), 89(H), 103(CG)

Paolo Koch: 27(BG)
Calvin Larsen: 12-13(C)

Fred McConnaughey: 13(H), 20

Tom McHugh: 7, 8, 31(CD), 35(BD), 37(B), 38-9(B); 67(HD), 72(B), 73(HD), 77(B), 83(H), 85(HG,HD), 87(BD), 91(BG,BD), 101(B), 102(B)

Will McIntyre: 37(HD)

Fred J. Maroon: 100

Andrew J. Martinez: 92-3(B)

Kathy Merrifield: 44-5(H)

Kenneth Murray: 53(B), 99(H)

John Neel: 62-3(H)

Janine Niepce/RAPHO: 24-5(C)

Charlie Ott: 22-3(H,B), 31(B)

Mark D. Phillips: 22(BG)

Carl Purcell: 84-5(B)

Dennis Purse: 87(HG)

Renee Purse: 47(C), 56-7(H), 76(H), 83(BD)

Gary Retherford: 5, 6, 17(HD), 32(B), 44(B), 67(CH), 71(BG), 106

Shirley Richards: 24(BG)

Bruce Roberts: 51(G)

J.H. Robinson: 100-1(H)

W. Rohdich/Okapia: 49(G)

V.R. Scheffer: 31(H)

Seul/Science Source: 29(G)

Ray Simons: couverture

Bradley Smith: 43(B)

H. Stern: 68-9(H), 72-3(C)

G. Tomsich: 63(H), 69(B)

Dr. Arthur C. Twomey: 83(H)

US Geological Survey/NASA/Science Source: 19(HD), 26

David Weintraub: 15(H), 19(HG)

Dr. Jay Weissberg: 101(CD)

George Whiteley: 32-3(H), 41(B), 52-3(H), 67(B), 69(H), 74(B), 75(H), 78-9(H)

Dr. Paul A. Zahl: 89(B)

G.R. Roberts: 11(HG), 14(H), 21(B), 25(HD), 34(H), 37(CH), 88(BG)

The Bridgeman Art Library: 55(C), 56(B), 76-7(H), 92-3(H)

Museum d'Histoire Naturelle de Londres: 54, 58, 59(H) 61(HG)

108

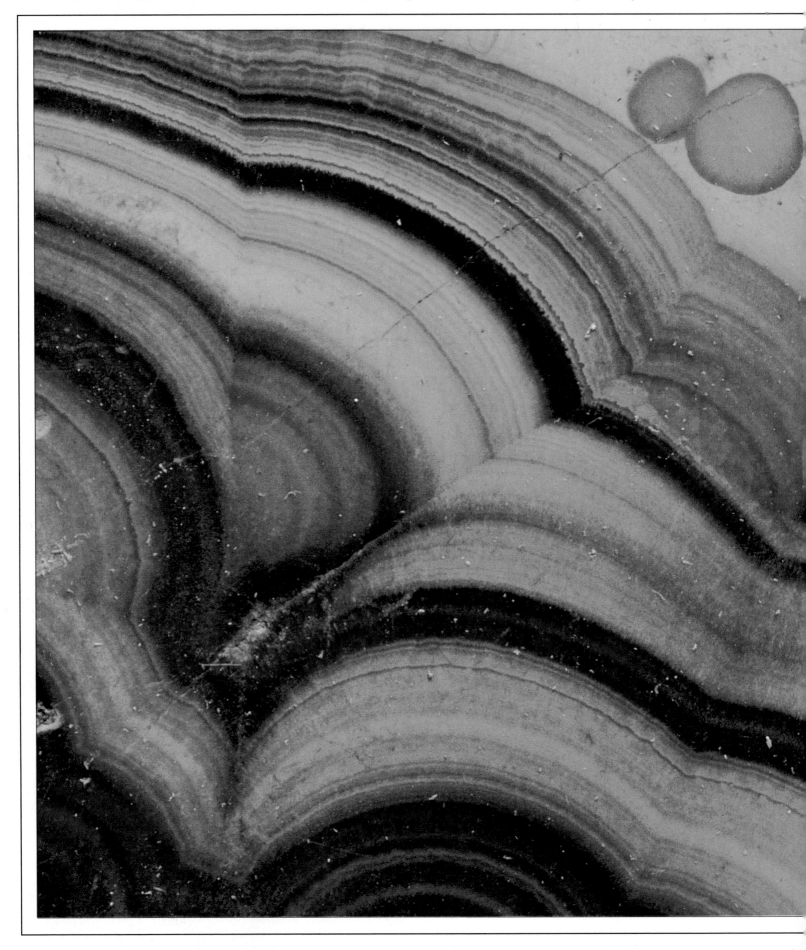

On reconnaît bien ici les zones aux courbes bien formées et le vert bleuté profond de la malachite taillée et polie.